定年後でも間に合う
つみたて投資

横山光昭

角川新書

はじめに

はじめまして。横山光昭《よこやまみつあき》と申します。ファイナンシャルプランナーとして、家計再生コンサルタントの仕事をしております。

すでにご存じの方も多いかもしれませんが、ＮＩＳＡの制度が２０２４年から大幅に改正されることになりました。本書では、新しい制度の中の「つみたて投資」を中心に扱っていきます。

「つみたてＮＩＳＡ」は、特に少額からの長期・積立・分散投資を支援するための非課税制度として、２０１８年１月にスタートしました。それ以来、投資を含む家計相談を受けることが増え、つみたてＮＩＳＡに関連する多くの本を執筆してきました。

私のところに相談に来られるお客様の多くが、老後の生活資金にまつわる悩みを打ち明けてくださいます。人生１００年時代と言われますが、ほとんどの方が老後を安心して送れないかもしれないという不安にかられているのです。間もなく定年を迎えるのに貯金がない、年金がもらえないかもしれない、いつまで働き続けられるかもわからない、パートナーが亡くなったらどうやって生きていったらいいのだろう――。こうして不安と悩みのループに陥ってしまう方も少なくありません。

定年退職年齢は60歳から65歳、そして70歳へと先送りになっています。元気に長く働くことはもちろん大事ですが、生涯働き続けることはできません。そうなれば当然、収入は減りますので、年金だけに頼らない方法を探すことも必要になります。制度改正によってメリットが増える今だからこそ、「つみたて投資」を始める格好のチャンスだと言えるのです。

貯金があるし、少しでも投資と名のつくものはやりたくないという方もいらっしゃるかもしれません。しかし、今は普通預金の金利が0・001パーセントの時代。100万円を1年銀行に預けておいても10円にしかなりません。これでは引き出し手数料も賄えず、マイナスになってしまうのです。せっかく貯金があるなら、もっとお金に「働いて」もらうことを考えてみてもいいのではないでしょうか。

つみたて投資は、若いうちから始めるのがベストと言われます。確かに時間がお金を作ってくれる仕組みですので、長期であるほど有利に働くことは事実です。これまで、つみたてNISAの非課税期間は最長で20年でしたが、2024年から「無期限化」されることが決まりました。このことによって、さらに長期間の運用が可能となります。人生100年時代では、60歳でも40年という長い年月が残されています。非課税期間の無期限化により、まさに定年前後でもつみたて投資を始めるべきチャンスが来たのです。

本書でお勧めする商品は、つみたて投資の範囲で買えるものばかりです。特に投資初心者でも取り組みやすい「全世界株式型インデックスファンド」を軸に取り上げ、ある程度のバリエーションを加えながらご紹介していきます。

なお、私は、投資と呼ばれるものすべてを推奨するわけではありません。定年期の方たちの「収入」と「支出」に着目し、節約することによって生まれたお金をまずは「貯蓄」し、余裕のあるお金を「投資」に回すというのが基本的な考え方です。

タイトルの通り、定年という言葉を多少なりとも意識する世代の方に向けて、「つみたて投資」に取り組んでいただけるよう構成しておりますが、もちろんそれよりも若い世代の方にも、やがて訪れる老後に向けてお勧めできる内容になっています。

まずはご自身の資産状況を見直すことから始め、定年後も長く続く生活を支えるための資産形成に向けて、本書をお役立ていただければ幸いです。

＊本書は、これまでの「つみたてＮＩＳＡ」に変わる呼称として、「つみたて投資」を採用します。単に「つみたて投資」とした場合は、新しいＮＩＳＡ制度のもとで「つみたて投資枠」を活用した投資のことを指し、あえて細かな区分をしない限り、２０２３年までの「つみたてＮＩＳＡ」に関しても同様に「つみたて投資」とします。24年の新制度施行時にはＮＩＳＡ全体の総称とされる「新しいＮＩＳＡ」や「統合ＮＩＳＡ」などとともに、「つみたて投資枠」の名称も定まっていると思われます。

目次

はじめに　3

第1章　新NISAで「資産寿命」を延ばし、人生100年時代を生き抜く　15

人生100年時代。老後資金が足りない　16
どうする？　人生100年時代のお金　18
NISAは2024年にこう変わる！　21
なぜ、定年後でもつみたて投資なのか　25
資産寿命は自分で延ばしていく時代　28
インフレに負けない3～5パーセントを目指す　30
少ない金額でも時間を味方につけよう　33
NISAはむしろやらないことの方がデメリット　38

第2章　「つみたて投資」を始めるための資金計画づくり　39

定年後の生活防衛費を確保しよう　40
年金だけでは30年間暮らせない　42
自分の年金額の見込みを知っておこう　43
働くことはできるだけ続けよう　46
夫婦で働くという選択肢　48
支出となる保険もしっかり確認　50
併せて変動費も見直してみよう　53
老後生活のキーワードはWPP　54
お金を貯める三つの方法とは　56
貯金だけでは資産が目減りしてしまう　57
投資は家計管理との両輪で　60
公的年金の繰り上げ・繰り下げをどうするか　63
退職金を一気に注ぎ込むのはやめよう　66

企業年金の受取年齢や受取基準に注意 69
年金法のここが変わった 71

第3章 定年後でも間に合う「つみたて投資」の始め方 75

投資は定年後からでも大丈夫 76
「お金持ちじゃないと投資できない」は大間違い 77
投資にはαタイプとβタイプの2種類がある 79
インデックスファンドはわかりやすい 83
投資信託が伸びる仕組みとは？ 85
インデックスファンドを選ぶわけ 86
老後資金の目標値を考えよう 90
老後資金の不足状況を把握する 92
つみたて投資で大きく膨らませたい 95
新NISAに沿って資産運用を試算 100

日本の投資はなぜ遅れを取ったのか　105
日本人の家計に占める現金・預金の割合　110
米国の株式市場動向にも注目　114
制度施行前の２０２３年にやっておくべきこと　117

第4章　「つみたて投資」のベストな買い方を考える　121

つみたて投資はどうやって始める？　122
タイプ別に複数の商品をチェックする　128
つみたて投資で買う最強の黄金比　132
リスクとリターンの関係を知っておく　135
ネット証券で口座を開設しよう　137
つみたて投資で買える主な対象商品　143
インデックスファンドのお勧め商品を把握する　146
全世界株式型インデックスファンドを買おう　149

「全世界」をベースにスパイスを利かせる方法　152

第5章　運用後のメンテナンスとおトクな受け取り方　155

つみたて投資の運用実績を見る　156
つみたての掛金を変更する　156
つみたてた資産を売るときは　162
NISA口座の資産の取り崩し方　163
定率と定額の取り崩しを比較する　164
資産の目減りを考える　168
運用を続けながら上手に取り崩すには　171
債券を入れるタイプのファンドについて　178
債券は株式の利益確定後に買う　181
収支状況によっては掛金を減額した上で継続を　183

第6章　「つみたて投資」から
さらに資産を増やすには　185
NISAの成長投資枠の使い方　186
現金と投資の配分を考える　188
世界経済はこの先、どうなる？　190
つみたて投資は経済の動きとどう絡むのか　193
自分が投資に向いているのかどうか　195
リスク許容度から配分を考える　198
貯蓄があればリスク許容度は高くなるか　201
投資を長く続けていくために　204
日本に投資すべきかという問題　205

おわりに　209

第1章
新ＮＩＳＡで「資産寿命」を延ばし、人生１００年時代を生き抜く

人生100年時代。老後資金が足りない

本書では、定年前後の人たちに新しいNISAの「つみたて投資枠」を使ったインデックス投資に目を向けてもらい、実際にコツコツと運用を始めてもらうための内容をお伝えしていきます。

中には、投資は怖いとか、まだやりたくないと思っている人もいることでしょう。実際のところ、投資はやりたい人だけが任意でやればいいものです。誰もが絶対にやらなければいけないものでもありませんし、職場の仲間や友達がやっているからといって、まねをする必要はありません。しかし、よく考えてみてください。

この先のお金、本当にこのままで大丈夫でしょうか？

しばらくの間は働いて収入を得るとはいえ、やがて年金だけの生活となったときに収入不足になります。支出をコントロールしようとして始めてみると、なかなか思うように抑えられないこともわかってくるでしょう。このままでは、この先ずっと引き算の生活となってしまいます。今後、多少のプラスはあるかもしれませんが、結局のところ生活は厳し

くなってしまうのではないでしょうか。

投資を「やりたい」か「やりたくない」か、で判断するのではなく、投資が多くの人にとって「やらないとまずい」状況がすでに現実となっているように私には思えるのです。

まずは、老後資金の見直しから進めていきましょう。

国民年金や厚生年金保険に加入している人には、毎年年金の通知が届いていることと思います。

「ねんきん定期便」は50歳未満の人と50歳以上の人で、届く内容が変わっています。50歳以上の人の「ねんきん定期便」は、受給開始年齢を70歳や75歳まで遅らせた場合の見込額や、現在の加入条件が60歳まで続いた場合の受給見込額を確認することができます。50歳以上の人であれば、この先、月々いくらずつもらえるかを把握していることでしょう。

月々補塡《ほてん》すべき金額も、少し計算すればわかると思います。

ここで、「老後２千万円不足問題」のときに話題になった図表（２０１７年総務省「家計調査報告」）が使えます。毎月約26・４万円の支出がかかって、夫婦２人の年金平均額が約21万円。不足分が約５万５千円です。１年間当たり66万円を30年で計算してみると、約２千万円不足することがわかります。

自分自身にあてはめてみると、年金は毎月どれだけもらえそうか、支出はどれくらいありそうかということはある程度予測できると思います。この他にも、退職金の見込み額を把握しておき、支出は医療費のように日常とは違う場面でも必要となることを知っておきましょう。年金についての詳細は、『横山先生！　老後までに２０００万円ってほんとうに貯められますか？』（ＫＡＤＯＫＡＷＡ、２０１９年）を参考にしてください。

自分の定年後の資金計画は、自分で実際に計算して実感し、初めてスタートラインに立つことができると言えます。そして、国の統計を見る限り、資金不足という人がほとんどではないでしょうか。支出と収入のバランスもありますし、働いて収入を得るということもありますが、不足分を少しでも埋めていくために、そこで少し余らせたお金、いわゆる余裕資金をもとに、将来のために増やす資産形成を今から始めていただきたいのです。

どうする？　人生１００年時代のお金

人生１００年時代と言われるように、高齢者の人口は増え続けています。

敬老の日にちなんで総務省がまとめた「統計からみた我が国の高齢者」（２０２２年９月）では、総人口は前年比で82万人減っているものの、65歳以上の高齢者は３６２７万人に達し、前年に比べて6万人増えたと発表されました。そのうち75歳以上が15・5パーセントもいるということで、高齢者人口はかなり増えていることがわかります。高齢者人口が全体に占める割合は、２０２２年時点で29・1パーセントでしたが、40年ではこれが35・3パーセントになると予測されています。

厚生労働省も、国内の１００歳以上の人口が9万人を超えたことを発表しました。

自己責任という言葉は使いたくありませんが、人生１００年時代をどう生きていくかを考えるに当たって、自分自身の生活環境をどのように整えていくかという視点は欠かせないものとなっていきます。働き方を見てみると、60歳で再雇用となり、収入が減少するという人が多いですし、55歳くらいでも役職定年を迎えるなど、収入面についてはなかなか厳しいものがあります。

国税庁の「民間給与実態統計調査」（２０２２年9月）によれば、給与所得者の平均年収は男性55～59歳で６８７万円。60～64歳では５３７万円となり、１５０万円減少しています。女性では55～59歳で３１６万円、60～64歳では２６２万円となり、54万円減少しています。

定年を迎える世代の60～64歳の給与は、直前の現役世代と比べ、男性で約22パーセント減、女性では約17パーセント減となっていることがわかります。

男女を合わせた数字を見ると、55〜59歳で529万円、60〜64歳で423万円、65〜69歳で338万円、70歳以上では300万円まで下がっているのです。

また、人事院の「職種別民間給与実態調査」（2022年11月）で再雇用の平均月額給与額を見ると、例えば「事務課長」の平均月額給与額が約60万209円なのに対し、再雇用者の「事務・技術課長」は42万8866円です。再雇用で同じ職種に就くとは限りませんが、それでも28・5パーセントの減額となっています。

若いうちは生活に必要なお金を自分の力でカバーできるので、「貯金なんかなくても何とかなる」ということも言えましたし、私も実際それで乗り越えてきました。しかし、定年期になると、どうしても自分の力は徐々に落ちていきます。定年期とはいえ、今はまだ若く、あまり心配ない方が多いかもしれませんが、70歳を過ぎる頃には衰えを自覚するようになるのも自然の話ですし、早いうちからちょっと気にかけておいた方がいいと思うのです。確かに支出として必要な分は若い頃より減っているかもしれませんが、そこを補うために金融資本などでカバーしていくという考え方が必要なのかなと思います。

それと、力に任せるのでなく、時間を味方につけるというのも一つのやり方だと思います。少しでも早くからつみたて投資に取りかかり、できるだけ長期間にわたってコツコツと運用していくことが、後々の大きな資産につながります。人的パワーが落ちているかいないかは関係ありません。60歳から20年続けたとしても、まだ80歳。１００歳まではあと20年もあるのです。

ＮＩＳＡは２０２４年にこう変わる!

これまで、私は多くの書籍でつみたてＮＩＳＡのメリットをいろいろとお伝えしてきました。今回は、ＮＩＳＡの制度が一新されたことによって変更となるところを中心に、特に定年期前後から始める人にとっての「つみたて投資」の可能性をお伝えしていきたいと思います。

さて、これまでのつみたてＮＩＳＡの制度下では、非課税で投資できる期間が20年に限られていました（一般ＮＩＳＡは5年まで）。また、年間の上限額は40万円とされ、毎月３万３３３３円まで投資することができました。生涯の非課税限度額は８００万円という計算になります。極端に多くのお金がない人にとっても、長くやれば十分なリターンが出てくるという点では、これまでも非常にいい制度でした。

・非課税保有期間の無期限化
・非課税限度額の引き上げ
・口座開設期間の恒久化
・つみたて投資枠と成長投資枠の併用可

以上が2022年11月の内閣官房の「新しい資本主義実現会議」に「資産所得倍増プラン」として盛り込まれ、12月にまとめられた23年度与党税制改正大綱を経て、24年1月に新しいNISAの制度として始まることになりました［図表-1］。

2022年の後半は、NISAの恒久化について何度も繰り返し報道されていましたが、非課税保有期間に関しては、これまで最長で20年だった「つみたてNISA」が「つみたて投資枠」となり、最長5年だった一般NISAは「成長投資枠」となり、どちらも無期限となります。これによって、長期投資を促しつつ期限が設けられていたという矛盾も解決します。

非課税限度額については、最低でもこれまでの3倍程度に上げるべきという声もあり、

[図表-1]NISAの改正前後比較

	現行NISA		2024年1月以降	
	つみたて	一　般	つみたて投資枠	成長投資枠
口座開設期間	2042年まで	2023年まで	恒久化	
非課税期間	20年	5年	無期限	
年間投資枠	40万円	120万円	120万円	240万円
			（合計360万円）	
生涯投資枠	最大800万円	最大600万円	1,800万円（うち成長投資枠は1,200万円）	
対象年齢	18歳以上*（ジュニア枠は0〜17歳）		18歳以上（ジュニア枠は2023年で終了）	
併　用	不　可		可　能	

※「*」は2023年1月から施行。　出典：金融庁「NISA特設ウェブサイト」より作成

期待が高まっていました。結果的に、つみたてＮＩＳＡの年間上限額40万円は「つみたて投資枠」としてこれまでの3倍の１２０万円となり、一般ＮＩＳＡの年間上限額１２０万円は「成長投資枠」として2倍の２４０万円に改められました。

さらに、これまではつみたてＮＩＳＡと一般ＮＩＳＡは二者択一となっていましたが、新しいＮＩＳＡでは二つの枠を併用できることになったため、成長投資枠の年間上限額２４０万円と合わせ、年間上限額３６０万円までの投資枠が使えることになります。

これまでの一般ＮＩＳＡとつみたてＮＩＳＡでは、年齢制限が20歳以上と定められていましたが、新しいＮＩＳＡでは成人年齢の引

き下げに伴って、18歳以上が対象年齢となりました。これまで20歳未満を対象としていたジュニアＮＩＳＡそのものが２０２３年で終了することから、未成年でもつみたて投資ができるようにしようという案も出ていたのですが、今のところこの案は通っていません。ただ、金融庁の様子を見ると、２~３年後くらいには実施されることになるかもしれません。今後は人生１００年時代仕様の、子や孫に資産を移動できるような全年齢参加型の制度づくりが求められていくと考えられます。

あくまで仮の話ですが、新しいＮＩＳＡの年齢制限が一切なくなるとしましょう。０歳児からつみたて投資を始めたとすると、毎月1万5千円の１００年プラン（元本は１８００万円）というものも可能となります。年利5パーセントとすると、おそらく１００歳の時点では5億円以上というとんでもない数字になります。

あまり金額を大きくすると、お金持ち優遇ともなりますし、また富裕層との格差が広がるという懸念から、生涯投資枠の上限は１８００万円となりました。ただ、つみたて投資はすでに大きな金融資産を持っている人のための制度ではなく、これから資産形成をしようという人たちのためのものです。相対的に見れば、現在のところ保有資産が少ない人の方が圧倒的に効果が高いと言えます。

なお、生涯投資枠の１８００万円というのは、２０２４年施行の新しいＮＩＳＡに入れられる金額の上限です。すなわち、これまでにつみたてＮＩＳＡとしてつみたててきた人にとっては、これまで投資してきた部分はこの１８００万円には含まれず、１８００万円とは別扱いの非課税枠を維持できることになります。23年からつみたてＮＩＳＡを始めた場合も同じく、新しいＮＩＳＡの枠とは別枠です。この点は、23年からでもできることとして、第3章で述べていきます。

なぜ、定年後でもつみたて投資なのか

ＮＩＳＡの制度は金融庁が管轄しており、つみたて投資枠については基本的には株式運用型のきちんとした商品しか選ばれていません。対象商品は２２０種類くらいあり、バランス型という一部の商品には債券が入っているものもあります。元本保証はありません。

つみたて投資は複利が効くという最大のメリットがありますので、毎月きちんとつみたてる習慣づくりさえできれば、投資の腕などは関係ありません。経済に詳しくなくても大丈夫です。つみたてを長期間続けることができれば、極端な話、失敗はないと言ってもいいでしょう。

つみたて可能な期間は無期限となりますが、特に定年期の人にとっては、これまでの制度での非課税期間20年が一つの目安になってくるでしょう。短期間ではどうしても上下の波があります。５年くらいだと、マイナスになる可能性もあると思います。本来は15～20年と言いたいところですが、10年を超えてくると負ける確率はかなり減ってきます。

かつてのリーマン・ショックのようなことがあると、短期間ではマイナスから立ち直れない可能性もありますが、長期的に見れば、それも時間が解決してくれるということが言えます。

現在、60歳ちょうどの人なら、最低限10年後の70歳まで。理想的には20年後の80歳までつみたてるのがいいでしょう。定年前後の人にとっては、ただつみたてることだけでなく、いつから現金化するかをある程度視野に入れておくことも必要となります。このことは第５章で述べていきます。

日本版ＮＩＳＡのもともとのモデルは、英国のＩＳＡ（Individual Savings Account＝個人貯蓄口座）という制度です。１９９９年に導入され、ミニ口座と総合口座の二つから選択し、株式や預金、保険などを問わず、最大７千ポンド（最長10年）の拠出が可能でした。

しかし、２００５年、制度が複雑だということで、保険型が株式型に統合され、08年にはミニ口座と総合口座が廃止され、株式型ＩＳＡと預金型ＩＳＡになり、非課税期間が恒久化されて今日に至っています。17年以降の拠出上限額は2万ポンドですから、１ポンドが１６０円とすると、３２０万円となります。さすがはＩＳＡ発祥の国というところです。

米国にもＩＲＡという制度があり、少し複雑なので省略しますが、年間拠出上限額６千ドル（50歳以上は7千ドル）が認められています。

英国ではＩＳＡが恒久化されてから、残高と口座数が圧倒的に伸びたようです。日本のＮＩＳＡも、「非課税保有期間の無期限化」「非課税限度額の引き上げ」「口座開設期間の恒久化」の３本を柱に進むことになり、ようやく日本にも投資の新しい時代が開かれます。

普通預金の金利が年率０・００１パーセント、定期預金を10年置いたとしても０・００２パーセント程度。しかも引き出せば手数料を取られるばかりですから、預金や貯金はまったく意味がありません。すでに「貯金なんかしてどうするの？」という時代なのです。すぐに使わないお金は貯金しておくのではなく、少しずつでも運用するという考えに切り替えるべきでしょう。

資産寿命は自分で延ばしていく時代

厚生労働省は、2022年9月1日時点の住民基本台帳をもとに、国内に住む100歳以上の高齢者の数を公表しました。これによると全国の100歳以上の高齢者は9万526人で、前年から4016人増え、52年連続で過去最多を更新しました。

まさに人生100年時代の到来を物語るデータだと思います。これからさらに、日本人の平均寿命が延びていくことが考えられます。

厚生労働省の簡易生命表（2022年7月29日発表）によると、日本人男性の平均寿命は81・47年、女性の平均寿命は87・57年でした。前年と比較して若干下回った数値となりましたが、相変わらず世界トップクラスです。

また、平均余命は60歳で男性24・02年、女性29・28年、70歳で男性15・96年、女性20・31年でした。現在60歳の男性であれば、平均であと24年生きることになります。あくまで平均値なので、当然ながらこれ以上長寿の人も数多くいるということです。

令和2年版厚生労働白書によれば、日本人の平均寿命は2040年にかけて約2年伸び、40年時点で65歳の人は、男性の約4割が90歳まで、女性の2割が100歳まで生きると推計されています。「人生100年時代」はもはや絵空事ではないのです。

そこで必要となってくるのは、資産寿命を延ばすことです。資産寿命とは、これまで作ってきた金融資産があと何年持つかという期間のことで、資産寿命が長いほど、老後のお金を心配することなく安心して生活できるというわけです。逆に資産寿命が平均余命を下回ると、死亡する前にお金が尽きてしまうことになります。

平均寿命、健康寿命と並んで、資産寿命は定年後のキーワードです。

長生きする分だけ、資産寿命も延ばしておかなくてはなりません。すでに持っている資産、またこれから持つべき資産を形成しながら、いかに目減りさせず長持ちさせるかという考えが必要になってきます。

資産寿命を延ばすための資産運用にもいろいろと方法はありますが、私が最も有効だと考えるのが、新しいＮＩＳＡによる「つみたて投資」です。誰もが無理なく長期間できるので最適な制度だと言えます。いわゆる投資行動の一つには違いありませんが、知識も経験も特に必要としないという点で、投資に興味がない人にもお勧めできる内容です。

定年期くらいの人に投資の話をすると、「投資は怖いからいい」と、入口で否定的な感想を持たれることがあります。「そういうリスクの高い投資ではなくて、資産形成のために金融庁が主導してやっている投資制度なんですよ」と話をすると、「あっ、そういうのがあるんだ」と受け止めてもらうことが実際に多いです。

なお、NISAは本人が亡くなったとしても有効です。NISA口座を持っている本人が亡くなった場合、遺族が受け取ることが可能です。ただし、相続人がつみたて投資枠やNISA口座を持っていたとしても、死亡した人のNISAをそのまま引き継ぐことはできません。

もちろん、つみたて投資は自分の資産づくりを行うために始めるわけですが、これからはつみたて投資による遺産づくりを考えてもいいかもしれません。子どもや孫、奥さんなど、相続した人たちは意外なプレゼントを喜んでくれるでしょう。ヘンな個別株や債券をもらうより100倍うれしいはずです。そう考えると、資産は多いに越したことはないし、また、無理に使い切ろうと考えなくてもいいということにもなります。

インフレに負けない3~5パーセントを目指す

資産運用の利回りは、目安としてインフレ率に負けない、無理のない程度のリターンがあれば十分と考えます。詳しくは後ほど商品紹介の中で触れますが、つみたて投資で全世界株式や米国株式のインデックス投資をしたときの平均利回りは多くの場合、5パーセン

［図表-2］MSCIワールド・インデックスの実績

インデックスパフォーマンス ― 表面利回り（2023年1月31日）

				年率換算			
1カ月	3カ月	1年	年初来	3年	5年	10年	1987年12月31日以来
5.56％	-3.95％	4.98％	5.56％	14.87％	10.86％	13.59％	8.25％

年次パフォーマンス

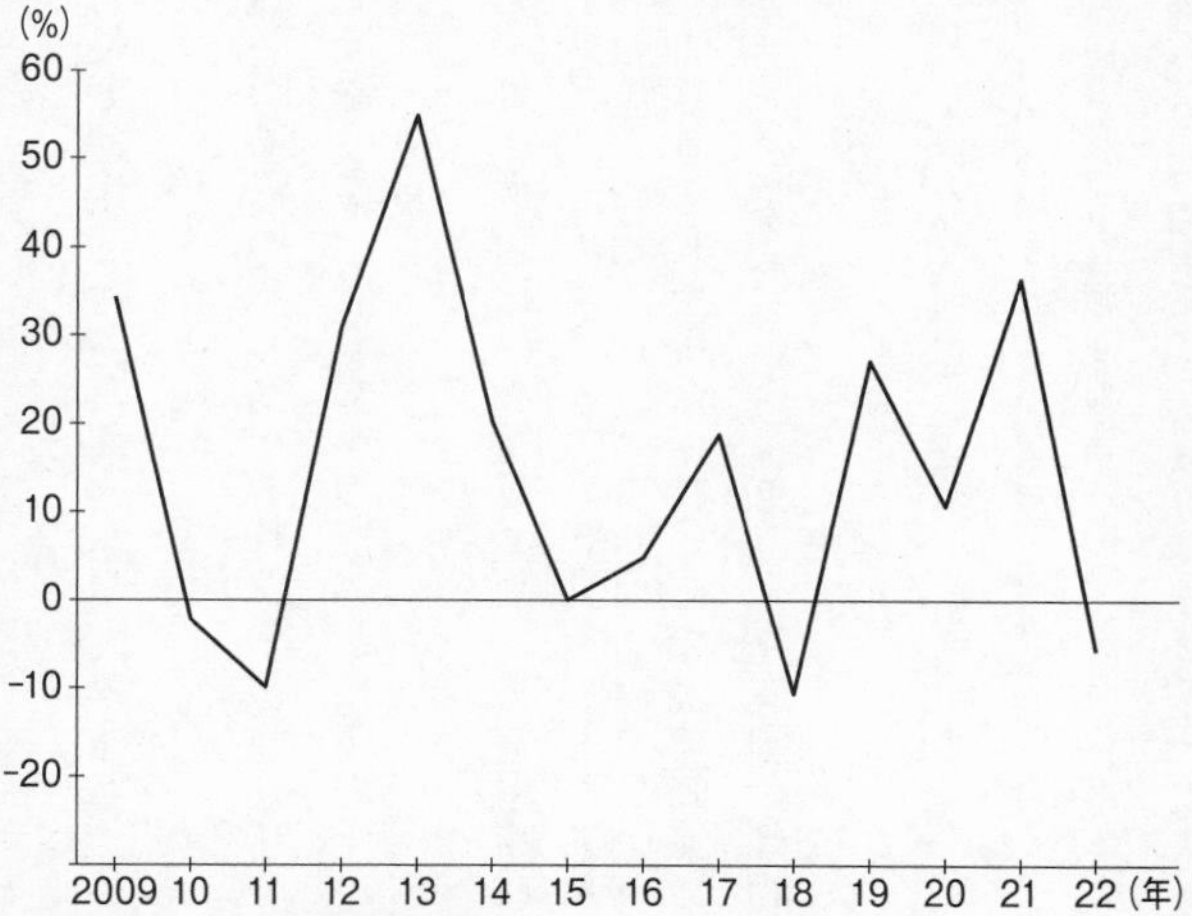

出典：MSCI, MSCI World（JPY）

ト以上であり、そこまでいかなくとも、堅めに見て3〜5パーセントは見込んでいいでしょう。つまり、これは十分実現可能な範囲であり、無理なく取り組むことができると思います。

無理なくやるという点ではもう一つ、余裕資金でやることが大切です。これまでの資産を失うようなことは決してあってはいけません。

全世界株式型による長期運用を行った場合を見てみましょう。長期の運用実績が残っている世界先進国株指数（ＭＳＣＩ　ワールド・インデックス、円ベース、配当込み）によれば、１９８７年12月以来の平均年率で８・25パーセントというリターンが出ています。ちなみに、２００９年以降で投資成績が最も悪かったのが18年のマイナス10・６パーセントでした［図表-２］。

最近10年の全世界株式型ファンドと米国型ファンドを比較してみるとよくわかります。どちらも基本的には同じような動きをしているのですが、縦軸の高さが違っていて、２０１２年現在の値動きを１００とした場合、10年後の22年時点での「全世界」が４００なのに対し、「米国」が６００と高くなっています。「先進国」は間を取って５００となっています。

例えば、「全世界」の「ｅＭＡＸＩＳ　Ｓｌｉｍ全世界株式（オール・カントリー）」は、ＭＳＣＩ　ＡＣＷＩ（オール・カントリー・ワールド・インデックス。世界株投資のベンチマークとして世界中で用いられている信頼度の高い指標）に連動することを目指す投資信託で、先進国23カ国と新興国24カ国にまたがる２３１４銘柄（２０２３年５月18日現在）で構成されています。このように分散されている方がローリスクで安心なのですが、比較的ローリターンということになります。

一方、Ｓ＆Ｐ５００（ダウ・ジョーンズ・インデックス社が公表する米国株式市場の総合株価指数）をベンチマークとする「eＭＡＸＩＳ Ｓｌｉｍ米国株式（Ｓ＆Ｐ５００）」が組み入れている銘柄数は５０５銘柄（２０２２年１月末現在）なので、こちらの方がリスクが高く、リスクが高い＝リターンも出るときは出るということです。

そして、中間的存在としてあるのが、「ニッセイ外国株式」のような先進国株型です。これは日本を除く先進国株を対象とし、７割以上が米国株。時価総額で世界の株の85パーセントをカバーしているのが特徴です。

少ない金額でも時間を味方につけよう

リターンの高い低いというのは、大まかに見てリスクの高い低いに連動しているものと考えていいでしょう。投資においては誰もがローリスク・ハイリターンを欲するところですが、そうそう簡単にはいかないようです。

リスクは、金融の世界では「不確実性」と言われます。いわゆるブレですね。どんなタイプの投資であっても、ブレというものを捉《とら》えておかなくてはなりません。いわゆるリターンはプラスのリターンを指すことが多いですが、成績がマイナスになる場合は、マイナスのリターンというふうに言われます。

全世界型でも、3パーセントや5パーセントの利回りは普通に出ており、通常、7～8パーセントくらいの利回りで回っています。

投資信託には、管理・運用のための経費として払い続ける信託報酬という費用が発生します。インデックスファンドの場合、信託報酬は年0・1～0・5パーセントくらいと、安いところが多いようです。新興国の場合で0・6パーセントくらい。アクティブファンドはやや割高ではありますが、それでも0・9～1・3パーセントくらいと、以前よりも安くなっています。

将来の予測を立てる手段の一つとして、業界ではバックテストというものが使われます。バックテストとは、過去の動き、実際の成績をもとにして、一定期間に実際どれくらい増えたかということを長期的にシミュレーションするものです。

過去の実際の状況に沿って1万円ずつ投資をしていたら、今後も5パーセントくらいで回るだろうといった、とても面倒な計算を瞬時にやってくれるのです。

[図表-3] 毎月1万円をつみたて投資でつみたてると

ファンド名	1年間[12万円] (2022年2月末~23年2月末)	5年間[60万円] (2018年2月末~23年2月末)	10年間[120万円] (2013年2月末~23年2月末)	20年間[240万円] (2003年2月末~23年2月末)
米国株式(S&P500)	122,222円	904,675円	2,615,540円	10,084,827円
先進国株式インデックス	124,548円	878,454円	2,347,170円	8,188,741円
全世界株式(除く日本)	123,954円	851,503円	2,239,466円	7,627,535円
全世界株式(オール・カントリー)	123,974円	843,245円	2,203,653円	7,365,553円
全世界株式(3地域均等型)	123,534円	766,804円	1,906,191円	5,984,623円
国内株式(日経平均)	122,377円	716,356円	1,841,032円	5,802,174円
新興国株式インデックス	119,851円	688,736円	1,620,073円	5,011,274円
国内株式(TOPIX)	125,813円	730,900円	1,761,656円	4,902,570円
バランス(8資産均等型)	120,683円	698,209円	1,617,191円	−

※つみたて投資対象に限定。
※データは2023年2月末現在。eMAXIS Slimシリーズのファンドにそれぞれ毎月1万円ずつつみたてた場合のシミュレーション。スタート時に1万円を投資し、各月末に1万円ずつつみたてたと仮定(最終月末は投資せず)。設定日より前の期間は、それぞれの「eMAXIS Slim」の投資対象となる指数で試算し、コストは考慮していない。つみたて期間20年の「バランス(8資産均等型)」は、ベンチマークとなる指数のデータ(東証REIT指数)が20年に満たないため掲載なしとした。
出典:三菱UFJ国際投信のデータをもとに作成

「eMAXIS Slim」というシリーズの投資信託商品を対象としたバックテストが、三菱UFJ国際投信によってまとめられています［図表‐3］。毎月「1万円を1年間つみたて」た場合、5年間つみたてた場合、10年間つみたてた場合、20年間つみたてた場合という4パターンに分けた成績が示されています。

ちなみに、米国株式S&P500の「1万円ずつ20年間つみたて」た場合を見ると、240万円の元本が、約1千万円（約320パーセント増）にまで増えていることがわかります。

これは単なる予想ではなく、実際にその時点でその商品を買っていたとしたら、というリアルな話です。毎月1万円のつみたてで1千万円ということは、もし毎月のつみたて額が3万円だとしたら3千万円ということになります。10年間で120万円入れた場合でも260万円（117パーセント増）。10年だけでもこれだけの実績が出るのですから、元金と利息の合計に対して利息がついてくる「複利」の効果は絶大です。

複利とは利息の計算方法の一つで、利息にもまた利息がつくことを指します。

1万円の元本を1年間預けて5パーセントの利息がついたとすると、翌年には1万500円となります（500円は元本に対してついた利息）。

　次に、この５００円も元本に組み込んでさらに1年預けると、今度は1万1千円ではなく、1万１０２５円（1万円＋５００円＋５２５円）となります。なお、この25円は1年目の利息５００円についた利息です。

　これとは別に、2年目も1万円だけに5パーセントの利息がつくとすると、1万1千円（1万円＋５００円＋５００円）です。

　このように利息を元本に組み込まず、一定の利息となる場合を「単利」と言います。複利と単利では、投資が長期にわたるほど大きな差がついてしまいます。それぞれの計算方法を確認しておいてください。

　バックテストに戻りましょう。5年間以上つみたてた場合で利益が出ていない商品は国内債券以外にありません（図表からは省略）。国内債券は20年でも20万円ほどしか増えていませんが、債券は伸びないため、これは仕方ないところかもしれません。なお、国内債券はつみたて投資枠の対象ではありません。

　長期的に見てみると、少ない金額でもやってみようという気持ちにはなるのではないでしょうか。ここでの投資信託の成績上位9本が、すべてつみたて投資枠で買える商品だという点も驚きです。

NISAはむしろやらないことの方がデメリット

これまでのNISAの制度でもそうでしたが、新しいNISAの制度のもとでは、むしろ「やることのメリット」よりも、「やらないことのデメリット」の方が際立つようになってきました。特に定年期の人にとっては、NISA投資枠が拡大したこともありますが、口座開設期間が恒久化され、非課税期間も無期限になったという点が大きいと思います。

生涯投資枠1800万円と聞くと、そこまではできないと思う人もいるでしょう。もちろん、1800万円の枠いっぱいまで使う必要など、まったくありません。自分の家計と相談しながら長期間続けられる金額の範囲内でやれば十分ではないでしょうか。今は多くを出せなくても、子どもたちが巣立った後は少し多めに入れるというふうに、ライフプランの柔軟な変化にも対応しながら無理なく続けていくのが一番だと考えています。

年間で最大360万円入れられるからといって、月に30万円入れられるような人はほとんどいないでしょう。先を急いだり、焦ってやったりする必要はまったくないのです。

第2章

「つみたて投資」を始めるための資金計画づくり

定年後の生活防衛費を確保しよう

お金を少しでも貯めていくことを考えたら、「収入」を上げて、「支出」を抑えることが必要になってきます。また、すぐに使わないお金は「投資」に回していく。どれか一つを極端にやるというより、バランスよくこの三つに取り組んでいく必要があると思います。

中には違うという人もいるかもしれませんが、普通に考えると、大半の人の収入は定年を迎えることによって落ちていきます。働くことを続けても、以前の収入を上回ることはほとんどないのではないでしょうか。

では、支出の面でどうするのかを考えてみましょう。体組成計に乗ってみると、自分の無駄な脂肪量がわかります。これと同じように、自分の生活を見直してみるのです。そして、食事を大幅に削るというようなことではなく、無駄なものをコントロールできないか、しかも無理のない範囲で、と考えてみることが大切です。

日本は長いデフレの後のインフレによって、確かにモノやサービスの値段は上がりました。しかし、そんな中であっても支出を抑えられる部分がないかを見ていくことが必要です。落ちてきてしまう収入と減らしにくい支出、実に苦しいところですが、そこが少しずつでもコントロールできないと、結局のところ三本目の柱である投資も長く続かないということになってしまいます。

生活防衛費としてのキャッシュは、生活費の半年から1年分くらいは持っておきたいものです。月にかかる生活費が30万円だとすると、360万円。すでにそのお金ができあっているのであれば、そこから先は全部貯金ではなく、投資に回してもいいでしょう。まだそこまで貯金ができていないという人は、この360万円が確保できるまで、まずは貯金を頑張ってもらうのがいいと思います。

人によってリスクに対する態度は異なり、このことを経済学で「リスク許容度」と言います。簡単に言うと「リスクを取ってどれくらい投資に回せるか」という度合いのことで、人の投資行動に深く関わるものです。「リスク許容度」については、第6章でご紹介します。

このように、貯金は投資の前段階として準備するものと考えた方がいいでしょう。

貯金ができるまでに、2年や3年といった思わぬ時間がかかってしまうこともあります。そういうときは、貯金に重点を置きつつ、例えば貯金する5万円のうちの1万〜1万5千円といった少額で投資を始めてみるという手も十分考えられます。つみたての投資は時間がものをいう世界であり、早い時期に始めた方が効果的だからです。

年金だけでは30年間暮らせない

「自分の頃には年金がもらえない？」といった疑問を持つ人もいるかと思いますが、さすがにまったくもらえないということはありません。ただ、金額が少なくなるとか、今65歳ベースの受給開始年齢が68歳や70歳になる可能性はあります。その場合でも、繰り上げ受給は今後も可能なはずです。

年金収入だけで暮らすのはなかなか厳しいということは言えるのですが、いわゆる「老後2000万円問題」が出た2019年のときほどひどい赤字ではありません。コロナの給付金支給や外出自粛があったために黒字化したわけですが、21年では月に2万2千円ほどの赤字という計算になります。これを19年と同じ計算をすると、30年間の生活費で不足する金額は790万円程度ということになります。2千万円の不足と比較してみると、違いがよくわかると思います（94ページ参照）。

年金の繰り下げ上限年齢は75歳まで可能になったので、制限いっぱいまで繰り下げようという人もいるようです。例えば、自分が65歳でもらえる年金の月額が13万円くらいだとして、繰り下げれば月0・7パーセントずつ増えていくので、6～7年待ったら月18万円くらいもらえることがわかります。

さらに２～３年繰り下げるとまたちょっと増えていく。生活費を見直して低く抑えつつ、年金受給額を増やしていって、生活費と合致するところでもらうというのも一つの知恵です。そして、その間を埋めるためにつみたて投資を活用するという考え方もできるわけです。公的年金は基本的に終身ですから、死ぬまでもらえます。支出が極端に増えない限り、それまでの臨時支出分はつみたて投資で作っておくということです。

「もらい損しないぞ！」と年金のことを本気で考えてしまうと、早くもらった方が逆に得だと言えるのかもしれません。なお、75歳から受給開始した場合、87歳まで12年間受給しないと65歳からもらっている人との受給総額は逆転しません。

果たして75歳から12年以上生きるかどうか。あくまで平均年齢を見た場合、女性は十分いけるかもしれませんが、男性には少し厳しいのかもしれません。結局のところ、自分自身が何歳まで健康なまま生きられるか、自分の余命をどう考えるかが問われているということになります。

自分の年金額の見込みを知っておこう

毎年、誕生日の１カ月前くらいになると「ねんきん定期便」が届くと思います。郵送版で受け取っている人と、「ねんきんネット」に登録し、電子版をダウンロードして見ている人がいるはずです。50歳を過ぎた人への定期便には年金見込額が出ているので、確認しておきましょう。

基礎年金が満額で記載されてない人も、意外に多いかと思います。ずっと同じ会社に勤めている人は満額に近い数字が書かれていますが、途中、転職したり、年金の支払いを休んだりしたことがある人は要注意。計算に含まれていない期間があると、金額が少なくなっているはずです。

年金は、基礎年金（国民年金）と厚生年金とを合わせて支払われますが、基礎年金に関しては、４８０カ月（40年）のうち何カ月払っているかで決まります。ただ、それも挽回《ばんかい》できないわけではありません。国民年金の人であれば、60歳以降も払うという任意加入の手続きをすることで金額を増やし、満額受給近くまで伸ばすこともできるのです。

一方、60歳以降も働いて厚生年金に加入していれば、不足していた基礎年金部分が満額になるまで自然と加算されていきます。満期後は厚生年金だけを積み増すことになっていくので、働き続けることによって受給額が増えるというメリットもあります。

これまで何かしらの理由で払っていなかった人も、厚生年金加入資格限度となる70歳までチャンスがあります。70歳を過ぎても会社に勤める場合、加入期間を満たすまで任意で厚生年金に加入することも可能となりました。

いずれにしても、まずは自分が今いくらもらえる状況にあるのかを「ねんきん定期便」で把握しておくことが大切です。50歳未満の人は実績しか書かれていないので、なかなか見えにくいところもありますが、「ねんきん定期便」や「ねんきんネット」は定期的に確認しておきましょう。

今は条件が緩和されて、正社員でなくても厚生年金に入れるようになっています。例えば、パートやアルバイトで働いて、週３～４回程度、１週間当たり20時間以上働き、月８万８千円以上の収入を得ることによって加入できます。

今までは、同じ勤務条件であっても従業員数５０１人以上の大きい会社でないと適用されなかったのですが、２０２２年10月からは１０１人以上となりました。短時間労働者の適用要件としても、雇用期間見込みがこれまで１年以上だったところから、２カ月以上と短縮されました。さらに24年10月には、「特定適用事業所」に該当する会社は51人以上と、徐々に適用拡大されていきます。

また、２０２２年10月からは、「常時５人以上の従業員を雇用している士業の個人事業所」が厚生年金保険・健康保険の強制適用事業所となったため、そういう法律事務所に勤めている弁護士の先生たちも加入できるようになりました。間口は広がり、多くの人にチャンスが広がったといえるでしょう。

働くことはできるだけ続けよう

私がお客様によく言う言葉があります。

「働くことはできるだけ続けましょう」

これは大事なことですし、素敵な言葉です。

資産はなかなかすぐには作れないものです。節約しようにも、支出の削減だけでは限度があり、「収入を得る」ことは非常に大事な視点となります。後から働くやり方もあるかもしれませんが、今の生活を維持するためだけでなく、投資のため、老後のゆとりのためにも、早くから「収入を得る」ために働くことはとても大きいことだと思います。

再雇用で働いている人たちの働き甲斐《がい》は、むしろ若い人よりも全然高いようです。以前よりは安い収入かもしれないけれども、逆に満足度は高い。定年期以降の人たちにとって、働くこと自体がいいものとして捉《とら》えられています。

体も元気でまだまだ働くことができるのなら、早期リタイアなんてもったいないと思います。のんびり過ごすという考えもあると思いますが、多くの人にとって本当の老後はまだまだ先の話です。少しであっても働くことをライフスタイルに組み込んでおくことは大切です。単に年齢を重ねたからといって、自分で自分のチャンスを狭めないという意識が必要かもしれません。

支出は「意識しないと簡単には落とせない」とよく言われます。そして、意識して落としたとしても、それを持続できるかどうかが問題です。

支出をうまくコントロールできている人は、これくらいの感じでやればいいんだ、これくらいあれば足りるんだ、という感覚が定着するまでに、1～2年ほどの時間をかけているものです。

もともと堅実な人はいいとして、これまで多くのお金を使ってきた人はコントロールが難しいかもしれません。年収が1千万円くらいあったりすると、「月々の支出、45万円まで下げたんだけど」なんていう人も中にはいます。年金が20万円あったとしても、25万円足りないということになります。

月々25万円足りないということは、それだけで年間３００万円のマイナスです。さらに、平気であちこち旅行に行っているので、どんどんなくなっていきます。退職金が４千万～５千万円近くあっても、このペースでいけば何年か後になくなってしまうことは目に見えています。このように、これまでの習慣から意外と落とせないのが、支出というものの正体なのです。

夫婦で働くという選択肢

夫婦で働くこともお勧めです。私のお客様でも、ご主人の定年期から収入が落ちる分、それまで専業主婦だった奥さんがパートで働き出したという例があります。結果的に、ライフプラン表に書いていた総資産額が大きく変わりました。

それほど貯金もないけれど、働くのが嫌だという人もいるでしょう。その場合でも、完全にやめてしまうのではなく、あまり拘束されないような働き方に切り替えるのがいいと思います。もしくは、赤字を減らすということであれば、支出削減です。５万円を稼げないという人は、２万５千円を節約して２万５千円分働くという折衷案も考えられます。仕事量をちょっと落としても、その分ちょっと節約するというところでバランスを取っていくということです。

「年収の壁」という言葉を耳にしたこともあるでしょう。

奥さんが働く場合、所得税や社会保険料を支払わずに扶養控除の中で、ということを考えるかもしれません。しかし、そこに誤解はないでしょうか。扶養控除内だといったい何がいいのかということを理解する必要があると思います。１０３万円の配偶者特別控除の壁は、今や１５１万円の壁となりました。

この他にも、１０６万円の壁や１３０万円の社会保険の壁がありますが、一時的に手取り額が減ることはあっても、長期的な視点で考えてみれば、実は将来の年金などに割り当てられていくことがわかります。

将来のことはあまり気にかけず、扶養の中でやっていくのもありかもしれませんが、働くことができるのであれば、年収の壁など関係なく働いて、所得税や社会保険料も気にせずに払った方がいいと個人的には思います。

例えば、旦那さんが会社員として65歳まで働き続けたとしても、扶養されている奥さんが60歳になると、自動的に扶養から除外されます。ですので、これからは奥さんも一生懸命、たくさん働いた方がいいのです。国民年金を払う義務もなくなりますし、働き始めてまた厚生年金に入れば、奥さんの年金も増えます。加給年金（年下の妻が65歳になるまで夫がもらえる年金）をもらえなくなるのではないかと心配されるかもしれませんが、妻の年収が８５０万円を超えなければ大丈夫。このように夫婦で働くことはいろんなメリットがあると考えられています。

支出となる保険もしっかり確認

若い時期は当然必要ですけれども、ある程度の年齢になったら、本当に必要かどうかを考えておきたいのが「保険」です。これまで、固定費として当たり前に払っていたわけですが、これからも支出として換算するのかしないのか、定年期には一度家計の棚卸しをしてみることをお勧めします。

保険には、「保障」という本来の役割と、「貯蓄」という二つの役割があります。ただ、貯蓄という点では、今はあまりいいものではないので、個人年金保険、外貨建て保険、学資保険といったものは私は推奨していません。

保障は、二つのリスクヘッジに分かれます。生きているときのリスクヘッジとして「医療保障」、死亡したときのリスクヘッジとして「死亡保障」があります。どちらが必要なのかということを考えておきましょう。

保険とは、損する確率が圧倒的に高い金融商品だと言えます。あえて言うなら、死亡保障は不要だと私は考えています。

死亡保障は、そもそも「誰のために保障をかけてるの？」というところから考えてみましょう。配偶者のためとも言えますが、一般的には子どものためということが多く、大学を卒業する22歳頃までかけるケースが多いようです。今は18歳で成人なので、仮に親が早く死亡したとしても、自分で奨学金を使って大学に通うことも可能です。いずれにしても子どもがまだ小さいなどの問題がなく、在学期間が終わっていれば、死亡保障は一切いらないとも言えるわけです。

その他、お葬式代などを保険で備える人もいますが、それならばキャッシュを貯めることを考えた方がいいと思います。

医療保障についても、貯蓄とのバランスによると思います。高齢になってから長期的な入院があると確かに少し怖い面はあるので、その点が心配だったら医療保障には入っておいた方がいいでしょう。ただ、1カ月にかかった分、所得に応じて7万~8万円くらいの実費で済む高額療養費制度というのもあるので、貯蓄がある人は医療保障すらいらないということになります。

また、がん保険だけは入った方がいいと思います。治療費は当然ですが、生活費の収入減をカバーするという使い方ができます。長期通院となれば費用もかかりますし、治療中に復職した場合、通院などで欠勤が多くなりがちです。また、再就職した場合は以前の収入よりも落ちていることが多いのです。

「がん保険の診断給付で１００万円出ました。でも実際かかったのは35万円でした。残りの65万円はどうしたらいいですか」などと聞かれることがたまにあります。そんなとき私は、「自分の体を痛めたわけですし、これからの収入が多少変わるかもしれないので、それは取っておいた方がいいんじゃないですか」と話しています。

ずっと払い続けるような貯蓄型保険は非効率で、実質の利率は１パーセントに満たない商品がほとんどです。円建て商品だと利率０・３パーセントほどで、そもそも２パーセントのインフレ率に負けています。貯蓄型保険によって貯蓄ができない状況になっている人もいるので、入っている人はしっかり見直した方がいいでしょう。この機会に、自分にとって本当に必要な保障は生きているときなのか、死亡したときなのかという点で考え直してみてください。

併せて変動費も見直してみよう

その他の固定費としては、携帯電話代なども対象にしておきましょう。格安スマホなどでコストは下げられます。自動車も所有することをやめ、サブスクなどで安くやりくりすることもできます。こうしたコストカットは一気にやるのではなく、少しずつでも早めにやっておくべきだと思います。

支出を抑える上ではこうした固定費も大事ですが、実際には変動費がなかなか落とせないという人も多いようです。とにかく元気なので、遊びに行くための娯楽費、交際費、スポーツジム代。さらに量より質を求めてしまう食事も含め、バランスを取りながら節約に目を向ける必要があります。少し家計の話に寄りすぎてしまいますが、人生１００年時代には、そういったところをきちんと整えた上で、これからの資産を作っていくことが求められます。

習慣化されている支出行動を、この機会に見直しておきましょう。行動経済学的には、変化を取り入れたくない心理が働いているはずです。聞いてみると、ずっとこういう食事をしてきたから、ずっとこの生命保険に入ってきたから、というだけの理由だったりします。面倒くさがらずに、少しでも見直してみてください。それが一番のリターンだとも言えます。

「節約はかなりの収入なり」と、ルネサンス期の思想家であるデジデリウス・エラスムスも言っています。何でもかんでも節約すればいいというわけではありませんが、節約で収入と支出の差をきちんと出すことによって、収入が増えるのと同じような効果が生まれます。

老後生活のキーワードはWPP

老後生活を語る上で「WPP」というキーワードがあります。慶應義塾《けいおうぎじゅく》大学商学部教授の権丈善一《けんじようよしかず》先生が「日本年金学会誌」（2019年）の中で「これからの財政検証の意義とシンポジウムの成果」という総括を発表されました。そこで第一生命の谷内陽一《たにうちよういち》さんがシンポジウムで報告したWPPの考え方について紹介し、「WPP、はやることを心より期待したい」という言葉で締めています。

また、谷内さんは、イギリスの年金制度と比較して、日本の年金制度をどうするとよくなるか、長生きリスクに備えられるかについての論文を発表しており、WPPはその中で取り上げられています。

ＷＰＰというのは、就労延長（Work longer）、私的年金（Private pensions）、公的年金（Public pensions）の頭文字を取ったもので、これら三者による年金制度の継投型モデルのことです。

どういうことかというと、イギリスは年金制度がみんな可視化され、どういう年金を自分はつみたてていて、どういう年金から受け取れるかということを自分で全部選べるようなシステムを作っているのです。今まで日本は、公的年金の上に私的年金や老後資金を積み重ねていく「完投（上乗せ）型」タイプだったわけですが、公的年金、私的年金の役割分担をきちんとした上で、まずは働く期間を延長するということです。

働きながらの生活補助と、公的年金をもらうまでの間の生活費の中で、私的年金は、公的年金が不足したときの補助的な役割を持っている、という内容でした。

ベースとしてはその基本形があるけれど、組み合わせ方は個別に調整もできるようです。資産形成の方法によって順番を入れ替えることも可能です。

できるだけ働いて、その間に私的年金、自分の老後資金を作り、公的年金受給を遅らせるという考え方は、私がこれまで言ってきたことと同じだと思います。

Ｗから始めるという考え方、働ける方は働くというのはいいことです。実際、私のお客様の中にも働きたいという人は多くいます。今までは家族のために働いてきたけれども、今は子どもが独立したので、少しでも働いた資金を自分たちの生活の補助にしたい、という人もいます。

お金を貯める三つの方法とは

前述しましたが、お金を貯めるためには三つの方法があります。

「収入」を上げることと、「支出」のコントロール。そして三番目に「投資」です。

三つのうち、どこが強いか弱いかは、意外と意識できていないかもしれません。現状で自分はこのうちどれがきちんとできていて、どれができていないかを三つ並べて考えてみることが大切です。収入面が非常によくても、その分使ってしまっていたら、貯金もないので投資もできない、といったことも考えられます。収入を上げることばかりに意識が行ってしまい、支出を意識しないという人もいます。

その逆に、高い収入がなくても、支出のコントロールがうまい人。結果として差分がしっかりと出て、貯金ができている人もいます。こういう人にはすぐに投資を始めることをお勧めします。

支出のコントロールができる人は、働くことや投資にも意識が行くでしょう。これからを変えていくことを考えると、支出のコントロールが重要な役割を担っていると思います。

収入に対する投資額の割合に、何か黄金比的なものがあるのかとよく聞かれます。

収入の6分の1を貯金に回すことを私はお勧めしています。収入があったら、まずは貯金を最優先し、その一部を投資に回します。収入から支出を引いた残りを貯金するということではありません。30万円の収入があったら、先に6分の1の5万円を抜き出して貯蓄に回し、残りの25万円で生活するということになります。

貯金だけでは資産が目減りしてしまう

定年期の人たちの中には、1千万円くらいの貯金を持っている人もいます。現金として持つのは生活防衛資金となる生活費1年分の360万円ほどで十分で、それ以上はインフレなどへの対策、将来の資金づくりとして投資に回していくのが理想的なのですが、できていません。それだけでなく、毎月貯金に回すお金の全部を投資に全振りしても構わない状態なのに、まだ貯金を増やそうとする。そういう人に自信をつけ、投資に目を向けてもらうには時間がかかります。

一方で、投資のことをよく理解し、つみたてNISAやiDeCoなどの非課税投資制度を夫婦で満額まで活用しようとする人もいます。つみたてNISAは月額約3万3千円まで（2023年時点）、iDeCoは企業年金のない会社員なら月額2万3千円までできますから、1人の満額は約5万6千円。これを夫婦2人分、約11万2千円ずつつみたてていくので、毎月の収入に加え、貯金から回して捻出《ねんしゅつ》していくことになります。投資に回せる貯金があれば、一度にそれを投資に回そうとする人もいますが、じっくり時間をかけ、分散しながら投資に回す方がよいでしょう。

NISAの制度改革が決まる前、すでにiDeCoについても60歳未満までだった加入年齢の上限が65歳未満まで延長されることが決まりましたので、併せることによってより効果を発揮すると思います。

また、高齢者を中心に自宅でお金を保管する「タンス預金」も増えているようです。日銀の資金循環統計（2022年第4四半期）によれば、家計部門は現金・預金だけで1116兆円あるとか。国家予算の10年分にも及ぶ額と考えると恐ろしいほどです。株や保険、年金などを含めた家計の金融資産残高は2023兆円で、証券が311兆円（15・4パーセント）、保険・年金・定型保証が536兆円（26・5パーセント）あります。これ

[図表-4]家計部門の金融資産内訳

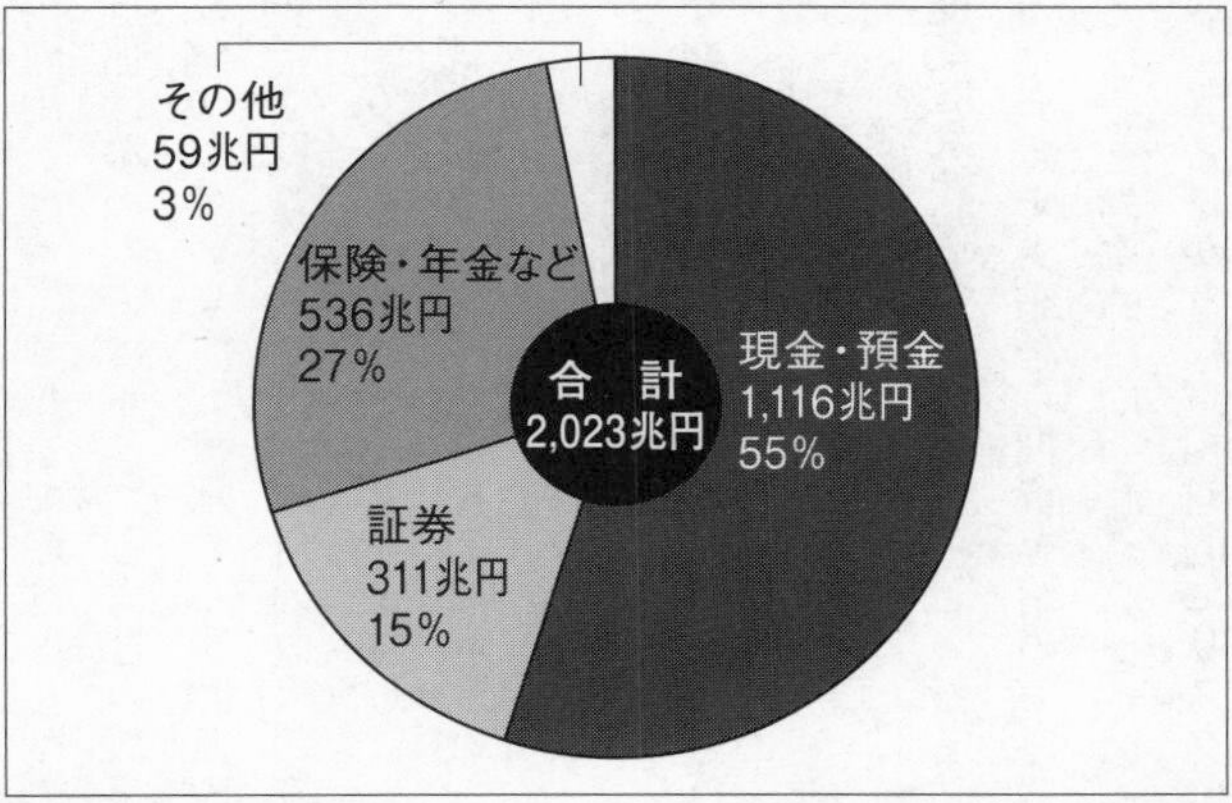

※表示単位以下を四捨五入しているため、合計値と各要素の和は必ずしも一致しない。
出典:日本銀行「資金循環統計(2022年第4四半期)」より作成

に対して現金・預金は55パーセントを占め、他を圧倒していると言えます［図表‐4］。

ところが、現金をいくら持っていても、お金は増えていきません。ゼロ金利政策を採用している日本では、銀行に定期で預けたとしても金利は年率で0・002パーセントほどですから、100万円を1年間預けてもわずか20円。ほとんど増えることはありません。タンス預金であればゼロです。少しずつでも資産価値を高めていくことを考えなくてはならないわけです。

定年期の月当たりの収入を、本書では30万円と設定しています。60歳を中心に、前後5歳ずつ、55歳から65歳くらいまでの方をボリュームゾーンとして想定しています。

再雇用となってこれまでの6～7割の収入で働くとして、手取りで20万円前後。30万円は旦那さん一人ではちょっと大きい数字かもしれませんが、共働き家庭だったらあり得そうな気がしています。旦那さんが20万円、奥さんが10万円くらいでしょうか。

貯金や投資に回す金額は月の収入の6分の1という設定なので、収入が30万円という設定は計算もしやすいかと思います。

介護施設に入居時の年齢は80代で46・4パーセント、90歳以上で23・8パーセントというデータもあり、80歳を超えてからの入居者が7割を占めています（ＬＩＦＵＬＬ ｓｅｎｉｏｒ「介護施設入居に関する実態調査」２０２０年11月）。

介護施設に入る年齢を考えると、つみたて投資は定年期から始めるのがちょうどいいということが言えます。

投資は家計管理との両輪で

とりあえず少額から投資を始めてみるというスタンスは悪くありません。とはいえ、投資となると効率的に増やしていきたいと考える人も多いようです。「投資だ！　投資しかない！」とばかりに、相対的にリスクの高い個別株やギャンブル的な要素のある暗号資産やFXばかりに目が行ってしまい、家計の状況を顧みないような非常に偏った状態でやっているような人です。

意識が投資に向いたときに意外と抜けがちなことですが、投資はきちんとした家計管理のもと、両輪でうまく回していかないとうまくいきません。これは最近、本当に強く感じることです。

投資をやりたいと思っている人が、まずは家計管理からと言われると、出鼻をくじかれるかもしれませんが、日々の生活をきちんと送ることを、まずは最優先で考えましょう。家計を見直すと、わりと余分な出費がかかっている場合があります。各家庭の判断軸の中で「これくらいはかかる」と思っていても、家計の専門家から見ると、「ここの固定費、落とせますね」とか「この死亡保障はいらなくないですか」という部分が発見できるものです。こういった部分を見直して、まずはいい家計状態にあることを前提にしておくべきだと思います。

投資を含む家計全般を見ていく上で参考にしてほしいのが、私が提唱している「ショウ（消費）・ロウ（浪費）・トウ（投資）」の考え方です。

お金は、生活に欠かすことのできない支出（消費）、なくても生活に支障のない支出

（浪費）、将来の自分に返ってくる支出（投資）の三つに分けて考えることが必要です。家計簿の各項目がどれに該当するのかを普段から意識しておくようにしましょう。これを、横山式節約術では「ショウ・ロウ・トウ」と呼んでいます。

例えば、同じ「交通費」をかけて電車に乗る場合でも、通院のためなら「消費」、ふらっと外出するためなら「浪費」に該当します。社会人教育の受講に行くなら「投資」となります。

「ショウ・ロウ・トウ」は、金額でなく、割合で確認することによって、自分のお金がどう偏っているのかを客観的に判断できるはずです。

消費：浪費：投資＝70％：5％：25％（貯金の16・7％は投資に入る）

この割合を意識しながら、1週間ごとにお金の使い方をチェックしておくのがいいでしょう。極端に節約に努めようとしなくても、貯金ができ、投資に回すお金ができるようになっていくはずです。

このように、家計が適正かどうかについての見極めは自分でもできると思います。投資や保険といった具体的な金融商品の中身については、ファイナンシャルプランナーに相談するのもいいでしょう。

公的年金の繰り上げ・繰り下げをどうするか

公的年金の受け取りに関わることですが、繰り上げた場合の数字が変わりました。

今まで繰り上げる（早くもらう）場合は、月に0・5パーセント減額されるということでしたが、年金制度改正により、2022年4月からは0・4パーセントの減額率に緩和されました。

65歳からの受給を60歳に繰り上げるとして、最大減額率はこれまでのマイナス30パーセント（60カ月×0・5パーセント）からマイナス24パーセント（60カ月×0・4パーセント）になります。ただし、この減額率の緩和は2022年3月31日時点で60歳未満の人が対象となり、昭和37年4月1日以前に生まれた人については0・5パーセントから変わらないので気をつけましょう。

年金の繰り上げ・繰り下げの仕組みというのは、あまり世の中に不公平感が出ないようにという考え方で作られています。65歳を境に、繰り上げの人が先にもらうと、受給額は少し減る形になります。繰り下げで後にもらう人は、その分が乗る形になります。マイナスとプラスの合計が同じようになるような難しい計算でできています。

繰り下げる（後でもらう）人は０・７パーセントの加算率なので、優遇されている感覚もありますが、基準としては公平になるようになっています。それが今回繰り上げの減額率が０・４パーセントに下がったことで、実はもらう金額としてはさほど不利益はないとも考えられます。どのようにもらうかは、利益よりも生活ベースで考える方がいいかもしれません。

あとは寿命という難しい問題との兼ね合いになります。

繰り下げた人は、繰り下げの年数にかかわらず、約12年もらうと、65歳からもらい始める人より多くもらうことになります。繰り上げた人は今回の改正によって、繰り上げ年数にかかわらず、約21年後の時点で65歳からもらい始めた人の受給額に逆転されることになります。

例えば、70歳からもらっている人は82歳の時点で65歳からもらう人の額を超え、60歳からもらっている人は81歳までもらうと、65歳からもらう人を下回る、ということになります。

70歳まで5年の繰り下げを申請していたとして、いざもらうぞとなったときに、例えばリフォームをすることになって、もっとお金が必要になったとします。繰り下げ加算額をつけないという条件になりますが、この5年分は一括でもらうことができます。

２０２３年4月からは、特例として「５年前みなし繰り下げ制度」が始まりました。これは、70歳到達後に繰り下げの申し出をせずに年金を請求した場合、５年以上前の期間を繰り下げ待機期間とみなして計算した金額を、年金額に加算して一括受給できるものです。なお、年金の受給権は５年で時効になるため、一括分の計算は５年前の増額率で行われます。対象者の制限がありますので、詳しくは日本年金機構のサイトなどを参照ください。

当面困ってない場合は、予定通り繰り下げて増やすという選択もできます。結局、繰り下げておくことで、この先も貯金を投資に回していくか、５年間の貯金を利息ゼロで一時的に受け取るかという選択肢ができることになります。

国としては、繰り下げてほしい意向があるようで、「ねんきん定期便」にも繰り下げると増えるという魅力ばかりが書かれています。ただ、繰り上げによる減額率が軽減されたこともあるので、苦しい人は無理せずに繰り上げてもいいと思います。

投資の話から少し離れてしまいますが、年金をもらいながら働くことを続けて、そこでゆとりができたら投資に回すという選択肢もありかもしれません。

生活をする上で無理をしないということから考えると、繰り上げるのも悪いことではありません。そういう意味でも本当に生活第一で考えてほしいと思います。

退職金を一気に注ぎ込むのはやめよう

米国には退職金制度がないので、投資してお金を生まなくてはなりません。日本の場合、退職金が一時金として出てしまうこともあり、金融機関に勧められるままに全額を一気に投資に注ぎ込んでしまうような失敗もあるようです。

これから経済成長して相場も上がっていく、確実に伸びるという大前提が仮にあれば、実は最も効果的なのは、大金を一気に入れるという方法です。しかし、投資のプロでもない限り、正しい相場の判断は非常に難しく、まさに大失敗のもと。普通の人にとってはそういう投資の仕方は絶対にやめた方がいいということになります。

退職金全額を入れるという考え方を除外すると、どういう方法がいいでしょうか。

まずは、退職する前からつみたて投資を始めておくことをお勧めします。もちろん長期間のつみたてを前提として、毎月無理のない少額でやることです。

大金が入ったときには目が眩《くら》み、判断がおかしくなることもあると思います。まずはそのときに備えて、投資の基礎知識をつけておくといいでしょう。退職金2千万円が出たときには、例えば2割の400万円までを投資に回すといった明確なプランを立てやすくなります。なお、新しいＮＩＳＡではつみたて投資枠と成長投資枠を併用した場合の年間投資額は360万円までですのでご注意ください。

すでに退職金をもらったけれど投資のことはよくわからないという人も、つみたて投資からスタートするのがいいでしょう。

退職金制度や企業年金制度のない会社は、大企業・中小企業を含め、日本では2割ほどあると言われますが、退職金の他、確定拠出年金（ＤＣ）などの企業年金を採用している企業が増えてきています。

企業型の確定給付企業年金（ＤＢ）は、日本でもっとも多く利用されている企業年金制度で、2021年3月の時点で約933万人が加入しています。会社が生命保険会社や信託会社に委託する、あるいは企業年金基金を設立して運用しているもので、会社としては従業員に給付額をあらかじめ約束することになるため、会社の負担が大きく、会社としてはやめたいものとなっています。国や会社の社長は、早く確定拠出年金に移行しないものかと考えているはずです。

退職金の平均的な金額は、およそ2千万円前後です。

厚生労働省の「就労条件総合調査」（２０１８年）によると、退職者一人の平均退職給付額（勤続20年以上かつ45歳以上の定年退職者）は、大卒・院卒定年で１９８３万円。勤続35年以上に限定すると、２１７３万円です。なお、この数字は退職給付制度（退職一時金制度のみ、退職年金制度のみ、両制度併用）の合計値となっています。

ここには企業規模別の退職給付額がありませんが、大企業の場合、退職一時金に何本かの企業年金がついて、かなり高額になる人もいるようです。

終身雇用の時代と違って、今は転職する人が多いため、途中でもらう人が増えています。その場合、ポータビリティの効いている企業年金を持っている方が老後には有利です。ポータビリティとは、転職などで会社が変わったとしても、それまでにつみたてた年金の原資を持ち運べることを指します。今の企業年金は、ほとんどがiＤeＣoなどに移すことができます。意味合いとしては、退職金を持ち歩いているような感覚です。

ＤＣを実施している企業を辞めてＤＣを実施している企業に転職した場合は、当然移換が可能です。ＤＢの企業を退職し、ＤＣの企業へ転職した場合も、ＤＣに移換することができます。もし、年金制度がない企業の場合は、iDeCoに変えることも可能です。

会社に属していなかったiDeCoの加入者が転職した場合は、会社側の条件にもよりますが、ほとんどのケースでiDeCoを継続したり、企業のDCに移換したりすることができます。要は名称が違うだけで、ずっと持っていられるということです。

企業年金の受取年齢や受取基準に注意

企業年金は60歳から受け取れるものがほとんどです。DCやDBも20年以下の有期年金となっています。有期年金というのは、5年以上20年までと支給される期間が定められている年金で、受取人が死亡した時点で支払いが終了するものです。

一括でもらうことも、年金でもらうこともできるので、企業年金を収入として頼りにしている人は、終わりの年から収入が大きく減ることになるので、生活設計を考えておかなくてはなりません。

企業年金の受け取り方法は、なるべく税金の面で有利になるように考えるといいでしょう。併用という人も多いでしょうが、生活を維持していくことを考えると、やはり20年の年金タイプで受け取るのがいいと思います。残りのお金もゆっくり運用されていくので、最後に多めにもらえるということも言えます。

企業年金は、複数の制度に入っている場合、ＤＣは20年、ＤＢは10年というように、商品ごとに受け取り期間を設定することもできます。

ｉＤｅＣｏの受け取り開始年齢が75歳までに延びたので、先に企業年金をもらっておいて、あとからｉＤｅＣｏをもらうという選択肢も考えられます。

組み合わせをどうするかは人それぞれで違うので、個別に考えるしかありません。加入者期間を増やしたければ、ｉＤｅＣｏとＤＣのどちらか長い方にくっつけると、通算期間も長くなって節税されるなどのいろいろな考え方があり、一概にどんな方法がいいとは言えません。また、生活費として十分な金額や、自分の将来の生活が見えていないと、受け取り方もわからないことが多いです。まずは、私的年金も含め、自分がどんな企業年金に入っているのかを知ることが大事です。

例えばＤＢの場合、その前5年間、退職金や企業年金に相当するものをもらっていなかったら、単体で税金の処理がされますし、その3年前に退職金をもらっているとなれば、合算されます。退職金１５００万円を一括でもらっても税金はかからないけれど、給付年金を一括で一緒にもらおうと思ったら税金がかかることになったりもするのです。税金が入ってくると、かなり難しい話になってきます。

大企業にいて、いろんなものに加入している人が一番難しいでしょう。

最近では、企業年金でもＤＢとＤＣのハイブリッド型が取り入れられています。確保されつつ自分でも増やすような感覚で、両方の特徴を備えつつ、長所を生かしたものとなっています。代表的なものに、「キャッシュバランスプラン」や、２０１７年に導入された「リスク分担型企業年金」などがあります。

そういうことを勉強している社労士や税理士、民間資格ではＤＣプランナーやＤＣアドバイザーをやっている人に聞いてみることをお勧めします。確定拠出年金などの企業年金が得意なファイナンシャルプランナーに相談するのもいいでしょう。

年金法のここが変わった

これまでにも述べてきましたが、ここで年金のことを整理しておきましょう。２０２２年は、12年以来の年金法の大きな改正が行われました。①厚生年金の適用が拡大され、②在職中に年金を受け取る制度が変わり、③繰り下げ受給年齢の上限が引き上げられ、④確定拠出年金についても見直しがされました。いずれも、長い老後も働き続けることを支援する内容となっています。

まずは2022年4月、60歳以上65歳未満の在職老齢年金について、年金の支給停止基準が見直されました。28万円から47万円（23年4月からは48万円）に引き上げられ、65歳以上の在職老齢年金と同じ基準となりました（在職老齢年金制度の見直し）。

また、65歳以上の在職者の年金改定はこれまで退職時や70歳到達時などに行われていましたが、在職中の65歳以上70歳未満の老齢厚生年金受給者について、毎年1回定時に年金額改定が行われることになりました（在職定時改定の導入）。

さらに、老齢年金の繰り下げの年齢上限が70歳から75歳に引き上げられました。65歳に達した日以降に受給権を取得した場合についても、繰り下げの上限が5年から10年となりました（繰り下げ受給の上限年齢引き上げ）。

同年10月、厚生年金の適用対象となる企業は、当初、従業員数501人以上だったのが101人以上に変わり、2024年10月には51人以上となります（短時間労働者に対する社会保険の適用拡大）。こうして段階的に変わっていくのは、やはり受け入れられやすくするという考えがあるのでしょう。特に中小企業では会社の負担も大きくなりますし、あとでそんなに出せないとなっては制度の根幹が揺らぎかねないからです。

確定拠出年金については、企業型、個人型（ｉＤｅＣｏ）ともに受給可能年齢が60～70歳でしたが、２０２２年４月にこの上限が75歳に引き上げられ、受け取るタイミングの選択の幅が広がりました。加入可能年齢の上限はこれまで企業型で65歳未満、個人型で60歳未満でしたが、５月から、企業型は70歳未満、個人型は65歳未満に引き上げられています。個人型のｉＤｅＣｏについては、さらに24年から「70歳未満」に引き上げる方針が示されました。

さらに２０２２年10月、企業型と個人型の同時加入要件が緩和され、これまで個人型のｉＤｅＣｏに加入できなかった会社員もｉＤｅＣｏを併用できるようになっています。ただし、「マッチング拠出」という、会社が拠出する掛金に加入者本人が掛金を上乗せして拠出するしくみを利用している人と、会社が拠出する掛金を年単位で拠出するようになっている人は、併用できません。

そして、併用する場合の掛金の上限は５万５千円。他の企業年金もある場合は、２万７５００円です。そこから会社が拠出する掛金額を引いた金額がｉＤｅＣｏに拠出できる金額となります。ですが、ｉＤｅＣｏ自体にも掛金の上限があり、企業型ＤＣだけの場合２万円、その他もあれば１万２千円（２０２４年12月からは２万円）です。

また、「マッチング拠出」は会社が拠出する掛金を上限に、企業型と同じところで運用するものです。手数料は会社が負担してくれますが、自由な商品を選んで運用できませんし、ｉＤｅＣｏを利用した方がより多い金額を積み立てられるケースもあります。

実際に併用するかどうかは、これらを比較して、より有利になる方を選択していくとよいでしょう。

年金は働きながらであっても受け取りやすくなり、繰り下げできる範囲が広がりました。社会保険においても短時間労働者をバックアップする環境が整い、全体として見ると、老後に働き続けることを支援する制度が整ってきたと言えます。

第3章
定年後でも間に合う「つみたて投資」の始め方

投資は定年後からでも大丈夫

本章では、いよいよ具体的な「つみたて投資」の話をしていきます。

前章のように年金のルールなどを見ていると、「人生100年時代」を想定したものになってきています。投資についても、60歳から始めて80歳くらいまで運用を続けていたら、リターンはまず間違いなく出ると言っていいでしょう。100歳まで生きることを視野に入れたら、60歳前後に始めるのは決して遅くはないと言えます［図表-5］。

昔の感覚からすると、投資は少し怖いところがありましたが、今はもう環境が整っています。つみたて投資にしろiDeCoにしろ、インデックスファンドでコストも安いし、100円単位で買えるという万全の状態になっています。

株式投資のことになりますが、昔は取引も1銘柄で100万円単位だったりしてハードルが高く、お金持ちしか買うことができませんでした。

退職金だけでは老後の生活に足りないと思い、何とかしなくてはと焦ってうまい儲《もう》け話に乗せられ、一括で投資に回して失敗するような人もかつてはいました。

今は、方法も確立し、制度もしっかりしていて、いい商品がたくさんあります。「貯蓄から投資へ」と国が推奨しているほどで、投資の環境が昔とはまったく違っているのです。

「お金持ちじゃないと投資できない」は大間違い

今の時代、お金持ちじゃないと投資できないという考えは、大間違いです。

岸田《きしだ》文雄《ふみお》総理が２０２２年5月上旬、英国ロンドン・シティの講演で「資産所得倍増プラン」を打ち上げました。すると、「今の時代に投資ができる人なんて限られている。お

[図表-5]主な年齢の平均余命

年齢	男	女
0歳	81.47年	87.57年
5歳	76.67年	82.76年
10歳	71.70年	77.78年
15歳	66.73年	72.81年
20歳	61.81年	67.87年
25歳	56.95年	62.95年
30歳	52.09年	58.03年
35歳	47.23年	53.13年
40歳	42.40年	48.24年
45歳	37.62年	43.39年
50歳	32.93年	38.61年
55歳	28.39年	33.91年
60歳	24.02年	29.28年
65歳	19.85年	24.73年
70歳	15.96年	20.31年
75歳	12.42年	16.08年
80歳	9.22年	12.12年
85歳	6.48年	8.60年
90歳	4.38年	5.74年

出典：厚生労働省「令和３年簡易生命表」より作成

金のある人しかできない」というようなことをSNSで言い回っている人たちがいました。岸田総理の肩を持つわけではありませんが、これはおかしいなと思いました。

私が言っている投資もそうですが、岸田総理が言っているのは、もともとお金がなくてもできる投資のことです。月々でうまくやりくりして、3千円でも5千円でも、1万円でも長期間運用していくことを目指しています。また、比較的余裕があってすぐ使わないのに全部キャッシュで持っている人もいるので、そういう人は少しずつ投資をしてはどうかという話にすぎません。

その上で、例えば「少額ずつでも20年つみたてたらこうなりますよ」ということを言っているのに、投資を十把ひとからげにして、金持ちの道楽だとかギャンブルだとか、そういう偏った見方をするべきではないと思います。一部の投資に、ギャンブルのような古い投資のイメージが消えないせいか、まだまだ多くの人にそういうアレルギーが残っているようですね。

しかし、そうした古い考え方が結果的に損を招くことになっていきます。

やらないで生きていけるのならいいのですが、今やらないと、多くの人がおそらく将来的に厳しい生活を送ることになると思うのです。例えば、病気やケガで長期間働けなくなる、あるいは家のリフォームが必要だということになったら、今の収入も確保できなくなり、貯金も取り崩してしまい、例えば75歳で資産を全部使い切ってしまうようなことになりかねません。その資産を少しでも80歳、90歳と先に延ばす手段を取っておこうというだけの話です。

投資だったら何でもいいわけではなく、生きるためのお金を作ることが目的です。低金利でずっと変わらない銀行預金よりも、少し回せば増えていく可能性が高いのがつみたて投資。今、これをやらないのは損ですよ、ということなのです。

投資にはαタイプとβタイプの2種類がある

投資は、αとβの二つのタイプに大別することができます。

「知識がないとできない、個人差が出るもの」がαタイプです。うまくいく人は短期間の運用で儲かるのですが、そうではない人も出てしまいます。これには個別株やFX（外国為替）、CFD（差金決済取引）、不動産投資などの商品が挙げられます。銘柄・タイミング・商品選びなどによって、うまくいく・いかないの差が大きく出る上に、成果も不確実です。

例えば、CPI（消費者物価指数）がどうだとか、FOMC（米連邦公開市場委員会）がどうしたなどと投資関連の情報が報道されますが、いくらそれを知っていたとしても、あるいは株価や決算をじっくり追っていても、それで勝てるというものではありません。

デイトレードが仕事だと言って、短期間で取引を完結させて稼いでいる人もごく一部に見られますが、そうなりたいかというと、ほとんどの人は思っていないはずです。そう考えたら、普通に働き、残ったお金でやっていくのが一番いいと思います。

これに対して、「形を作ってしまえば、長期的に見るとある程度うまくいくもの」がβタイプです。いったん決めた後は、焦らず時間をかけて、果実がなるのを待つというやり方です。投資信託の他、ＥＴＦなどがあります。株式市場全体の上昇を利用するので、無難な成果が誰にも見込めます。極端に言えば、βタイプはある程度の知識があれば、もしくはやりながら学び、一度形を作ってしまえばできるものです。

投資信託にも「アクティブファンド」と「インデックスファンド」というものがありますが、市場の値動きを上回ることを目指すアクティブよりも、市場の値動きに連動するインデックスがお勧めです。形を一度作って、後はほったらかしておけば自動的に毎月つみたてられていくので、投資としては地味なスタイルではありますが、これこそが多忙な世の中に求められているスタイルだとも言えます。

投資信託のイメージも、昔は決していいものではありませんでした。「失われた30年」と言われ、日本経済がゼロ成長を続けてきた平成期、かつては投資信託も、銀行や証券会社が売りやすくするために、煮ても焼いても食えないような銘柄ばかりを集め、ゴミ扱いされていたものです。実際、気軽に買ってつみたてればいいという商品はほとんどありませんでした。

ＮＩＳＡの制度が２０１４年にできてから、投資環境はようやく整備されてきたところがあります。制度を理解している人は増えてきていますが、それ以前の印象のまま投資のことを語る人もまだかなり多いように感じます。「親が株で全財産をなくしました」というような話もありますし、「株は買うな」が家訓だという話を聞いたこともあります。

αタイプとβタイプ、どちらも投資と一括《くく》りにして言うのはいかがなものか、と思うところもあります。「投機」と「投資」という言い方の違いはありますが、同じ投資の中でも別の名前にしたい気持ちです。

投機と投資は、ゼロサム、プラスサムという区分けで分類したりもします。

ゼロサムというのは価格の変動を予測して賭《か》けることで、勝つ人と負ける人の総数が同じ。勝つ人がいるということは負けている人がいるという世界です。場所代はなしとして、

ＦＸなどがこれに当てはまりますし、ジャンルは違いますが麻雀もそうかもしれません。

プラスサムは、やっている人全員がプラスになる可能性もあるし、全員がマイナスになる可能性もあります。ただ、長期的な視点で見たときにはプラスのほうが大きくなるというものです。投資信託や個別株がこれに当たります。

個別株の値動きを見るとわかりやすいですが、価格が売り出し以来の過去最高値にあるとしたら、この商品を買った人たちの誰もが負けてないということになります。しかし、最低値まで下がったときには全員がマイナスになるということを意味します。

もう一つ、マイナスサムというものがあります。パチンコ店や競馬場、宝くじもそうですが、集まった総数からまず胴元が2～3割を取ります。胴元がプラスになった上で、残りを全員で分け合います。このときの分配の合計が当初の総数から減っているというのがマイナスサムです。

以上のような分類がありますので、投資を十把ひとからげにしないで、自分がやっているのはこういう投資だ、こういう資産形成だというしっかりとした認識を持っていた方がいいですね。

インデックスファンドはわかりやすい

インデックスファンドの特徴は何かと考えてみると、やはり「わかりやすい」ということが言えると思います。

例えば、米国経済を丸ごと見ている商品がベンチマークするS&P500という指数があります。それだけを見ても、2021年の暮れくらいから大きく下がっています。22年末の時点でもまだ上がり切っていないので、この1年間だけを見たらインデックスで勝っている人はいないはずです。

だからこそ、インデックスファンドはわかりやすいということも言えます。コツコツと買っていたとしても落ちてしまったわけですが、今度指数が上がってきたときには上がりやすいという予想もつきます。

今、世界のインフレがやや落ち着いてきて、落ちていたものが上がってくるという傾向は、だいたい予想できています。そうなるとインデックスの場合、ここから上がるしかありません。すると、これまで買って評価が落ちていたものが、どんどん花を咲かせてくるわけです。

しかし、半導体やSDGsのような特殊な分野に関しては、経済とは少し違う部分もあり、本当に上がるのかどうかがつかめないところがあります。そういった点からも、経済の今後が反映されるのが、インデックスファンドのよさだと言えます。

例えば、全世界株式型インデックスファンドを選んだとしても、証券会社によってそれぞれ微妙に違いがあります。ただ、その大元の指数と同じように目指すだけなので、実はほとんど同じです。動いていく指数を追いかけて、中のファンドマネージャーがここを減らしてここを買うというような細かい調節をしています。指数と同じになるように必死に売り買いしたりもしています。各社が見ている大元の指数は同じものですが、指数に追いつく過程でわずかの差が出てしまいます。

「eMAXIS Slim」というシリーズ商品は、三菱UFJ国際投信が運用会社となっています。そこは徹底的に動きを見ているので、少しでも指数が動いたら誤差がないように対応しています。こうして順当な動きを出せる運用チームもあれば、中には数人しか配置されず、少しのんきに構えているといったチームもあるようです。

投資の効果を見るときに「リスクゼロ」という言葉がよく使われます。不確実性がないものとつみたてを続けていくと、そこに収益がついていくと考えます。不確実性がないものとして、毎年4パーセントで伸びていくと仮定すると、20年後の収益が見えてきます。そのときの条件設定として、リスクゼロという言い方をします。

ですので、実際にはこの通りにはいきません。いいときもあれば悪いときもあるという目で見ておかなくてはなりません。

リスクゼロに近いものを目指すなら、やはりβタイプのつみたてを続けることです。完全なリスクゼロというわけにはいきませんが、経済の動きと同じように安定させようということであれば、βタイプの方がよりリスクゼロには近いことは確かです。

投資信託が伸びる仕組みとは？

「ファンド」とは、多くの投資家から集めたお金を一つの資金にまとめ、基金にして収益を還元する仕組みのことを指します。「投資信託」もこれとほとんど同義ですが、運用の専門家が国内外の株式や債券などに投資・運用し、運用成果が投資額に応じて分配される仕組みの金融商品を指します。

では、投資信託はなぜ伸びるのか、ということを少し考えてみたいと思います。

投資信託が伸びるのは、その多くの投資先となる「株式」が伸びるのと同じ仕組みです。優秀な上場企業の成果や期待される利益は、株価に反映されて表れてきます。それが一般の経済成長率を上回るかどうかなのです。

世の中のすべての会社を全部ひっくるめた市場全体のリターンよりも、日本でいえば東証などに上場している企業のリターンの方が上回るわけです。上場企業が上げた高い成果が、株価というものにつながってくるという仕組みです。

私はときどき学生に言うことがあります。学校に1学年で300人いたとすると、その中の成績トップ5の卒業後の年収は、300人全体の平均値よりは高いだろうと考えられます。もちろん学力と稼ぎは別のことではありますが、理論としてはそうなる可能性が高いということです。

市場の金利が0・1とか0・2という中にあって、上場企業の株は市場金利を上回るところにあり、相対的に伸びていくということになります。

ファンドはそうした多くの上場企業を投資先としています。しかも、国内だけでなく、世界的に有名な一流企業を対象としているため、個々の企業の株価が上下することはあっても、全体として長期的に見れば安定的に伸びていくだろうということが言えるのです。

インデックスファンドを選ぶわけ

なぜインデックスファンドを選ぶのかについて考えていきましょう。

インデックスファンドというのは、特定の株価指数と連動するように作られた投資信託のことです。代表的なベンチマークとしては、日本で言えば日経平均株価やＴＯＰＩＸがあります。ベンチマークというのは、投資信託が運用の指標とする基準のこと。多くの場合、投資信託が投資対象とする商品や市場の各種指数が用いられます。

また、「インデックス」とは、市場の動きを示す「指数」のことを言います。例えば、日経平均株価とは、日本経済新聞が東証プライムに上場する約２千銘柄のうち市場流動性の高い２２５銘柄を選定し、その株価をもとにはじき出される指数のことです。日本を代表する企業の平均株価というわけです。また、ＴＯＰＩＸは東証株価指数と言われ、原則として東証プライム市場の全銘柄を対象にしています。１９６８年１月の時価総額（約８兆６千億円）を１００ポイントとして現在の時価総額を指数化し、株式市場全体の動きを示したものです。

米国で言えば、米国株式市場に上場する株式のうち５００銘柄を対象とするＳ＆Ｐ５００や、ＣＲＳＰ ＵＳ（約４千銘柄を対象）などがあります。

全世界株式型インデックスファンドでは、全世界の株価動向を表す指数として、ＭＳＣ

Iオール・カントリー・ワールド・インデックス（MSCI ACWI）や、FTSEグローバル・オールキャップ・インデックス（FTSE GACI）があります。MSCI ACWIが47カ国で約2300銘柄。FTSE GACIは約9500銘柄と、数多く広く網羅されています。

MSCI ACWIは、世界的な指数会社であるMSCI（モルガン・スタンレー・キャピタル・インターナショナル）社が算出し公表しているものです。

銘柄数は基本的には増えていくと見ていいですが、中には除外され、減ったりすることもあります。ただ、実はそれほど強い根拠が示されているというものでもなく、現場ではこうした指数が世界基準ということで普通に見ているという状況です。

単純に日経平均とTOPIXの計算方法が違うように、含まれる割合の計算基準がそれぞれ独自なものになっています。会社の規模によって配分の計算方法なども違い、当然ながらアップル、アマゾン、グーグルといった会社が高い割合を占めているということもあります。

一言でまとめるなら、全世界株式型インデックスファンドは、「世界の名だたる優良企業を優先して作られている〝指数〟と同じように動こうとする商品」と言えます。

楽天証券で扱っている全世界型の中身を見てみると、例えば「ｅＭＡＸＩＳ Ｓｌｉｍ全世界株式（オール・カントリー）」という商品があり、これはＭＳＣＩ ＡＣＷＩを対象としていることがわかります。

ＭＳＣＩ ＡＣＷＩの銘柄全約２３００社の内訳としては、米国企業が約60パーセント以上を占めています。次いで日本が約5～6パーセント、英国、中国が約３～４パーセント、残りが新興国を含むその他の地域となっています。ウェイトのトップ企業がアップルで約４パーセント、以下、マイクロソフト、アマゾンと続き、上位のほとんどが米国企業だということがわかります。

ＭＳＣＩ ＡＣＷＩには日本企業が5～6パーセント入ってはいますが、ここは少し変わっていくかもしれません。日本全体が４パーセントに下がる、あるいは日本の中でもトヨタ、任天堂、ソニーといった安定的で流動性のある会社の配分が高くなるなどの動きが出る可能性が考えられます。

ここでは国の勢いよりも、企業の存在感が重要となってきます。世界中の強い企業を国ごとに分類すると結果的にこうなったというだけのものであって、頭から国力の違いで分けているわけではありません。選定された企業をどれくらいの割合で入れるかについては、プロのファンドマネージャーの独自の計算によって決められています。

老後資金の目標値を考えよう

つみたて投資に取り組む前に、自分自身の定年後のお金は、具体的にいくらくらい必要になるかをデータを使いながら考えておきましょう。

まずは収入面から確認します。

主な収入源となるのは公的年金です。厚生年金の標準的な年金額は、2022年で約21万9千円です。これは会社員として平均年収530万円くらいで40年間勤務した夫と、専業主婦の妻というモデル夫婦の場合です。

また、2021年の総務省「家計調査年報（家計収支編）」によれば、高齢夫婦世帯の社会保障給付額は21万4530円です。高齢夫婦世帯とは夫65歳以上、妻60歳以上の夫婦1組のみの世帯を指します。

退職金などの一時金や、会社員時代に貯めた私的年金も収入源となります。

定年後も再就職などで働くことを続ける場合は、現役時代の収入の7〜8割程度を想定しておきます。

あとは貯金です。60代の貯蓄平均額は２４２７万円です。しかし、この数字は高額保有者の値が大きく影響するので、一般的な世帯の実態に近い中央値を見なくてはなりません。すると、「８１０万円」だとわかります（「家計の金融行動に関する世論調査２０２１」より）。ただし、死亡するまでの定期的な収入という点では、年金以外は確実なものとは言えません。

次に支出を見てみましょう。

老後の生活にかかる費用は、実際こうならない人もいますが、現役時代の２割減とよく言われています。現役時代の生活費が35万円だったとすると、老後の生活費は28万円前後を目安に考えていきます。大ざっぱな計算ではありますが、これまでかかっていた子どもの教育費は除外できるなどの変化もあると思います。

この他に、万が一のときに必要となる介護費用や、家のリフォーム代などのために１千万円を上乗せしておきます。

家計調査によれば、高齢夫婦無職世帯の標準的な実支出の平均額は月額約26万円となっています（家計調査年報２０２１年度）。また、ゆとりある老後の生活のために必要な月額は37万９千円とされています（生命保険文化センター２０２２年度「生活保障に関する調査」

より）。

老後資金の不足状況を把握する

収入と支出の見込みがわかったら、双方の差分を考えます。夫婦の毎月の収入と支出との差額に12をかけると、1年分の不足額が計算できます。老後の期間を30年と考えると、これからその30年分を準備していけばいいということになります。その合計額がこの夫婦に必要な老後資金となります。

30年間を俯瞰《ふかん》して見たとき、まずは今の収入だけでやっていけるのかということを考えていきます。長く働き続けることももちろん大事ですが、病気やケガなどで仕事ができなくなることもあらかじめ想定しておく必要があるでしょう。

そして、そこに不安材料があるようだったら、次の手を打つ、つまり少しずつでも勉強して投資をした方がいいということが言えます。

ですので、ただ単に投資を始めさえすればいいというものでもありません。将来にわたって必要となる金額を意識した上で、現在の貯金額とも見合わせ、これからいくら不足するかを計算していくのです。

[図表-6] 高齢夫婦無職世帯の家計収支

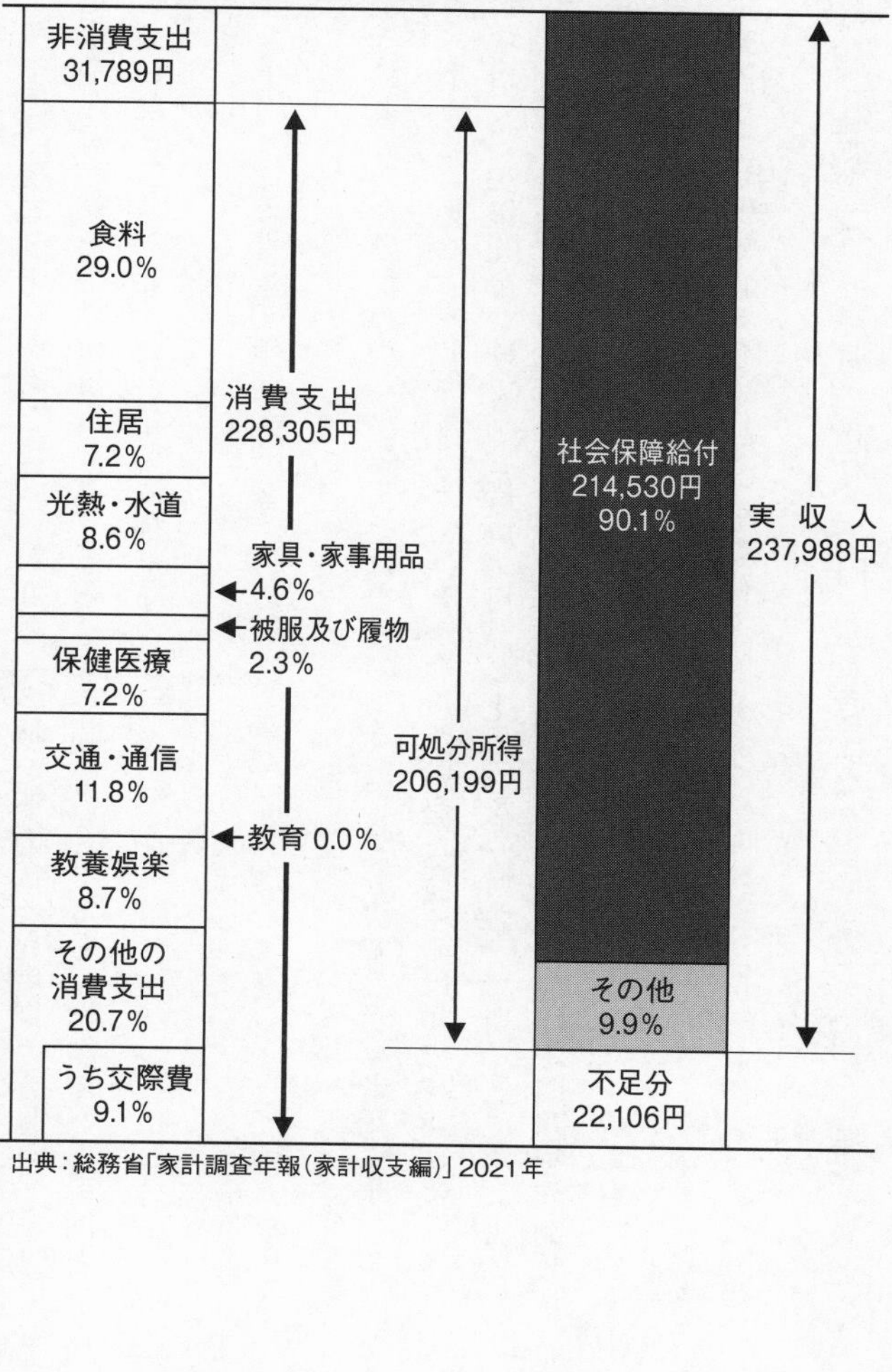

出典：総務省「家計調査年報（家計収支編）」2021年

２０１７年の総務省データをもとに、いわゆる「老後２千万円不足問題」が騒がれたとき、不足すると言われた金額は毎月５万５千円。30年間あるとすると、総額で２千万円ということでした。［図表‐６］は21年の同様データです。

５万５千円×12カ月×30年間＝約２千万円

不足するおよその金額がわかったら、それをどのようにして解決するかを考えます。多くの人がこれから「貯金」を増やすことで何とかならないかと考えるはずです。

60歳から始め、20年間をかけて、老後資金目標２千万円を「貯金」で貯めることにしたとしましょう。80歳までは年金をもらいながら働き続けると想定し、かける期間を前倒しに設定します。

２千万円÷20年間÷12カ月＝約８万３千円

すると、このように、毎月約「８万３千円」が必要になります（ゼロ金利を想定）。普通に生活しながら、これだけのお金を定期的に貯金し続けることができるでしょうか。少し厳しいような気がします。

つみたて投資で大きく膨らませたい

次に、同じ2千万円を目標としてつみたて投資で「運用」していった場合、どうなるかを見てみましょう。

資産運用で主に使われるのはつみたてをした場合の複利の計算式です。nは運用年数を表しています。

資産合計＝毎月のつみたて額×（（1＋年利率÷12）n×12乗－1）÷（年利率÷12）

1に年利率の12分の1を足して、これに運用年数（×12カ月）を累乗し、1を引いて年利率の12分の1で割り、それを毎月のつみたて額とかけ合わせます。例えば毎月のつみたて額を5万円（年60万円）、利回り5パーセントで20年と設定した場合、以下のようになります。

5万円×（（1＋0・05÷12）20×12乗−1）÷（0・05÷12）＝2055万1683円

毎月5万円ずつ運用すると、20年で2千万円を超えることがわかります。「貯金」との違いは明らかです。利回りについては、5パーセントを想定していますが、これは第1章で全世界株式型インデックスファンドのバックテストで通常出ていると紹介した7〜8パーセントよりも低い数字に設定しています。

しかしながら、一つひとつ複利の計算をするのは電卓を使ったとしても面倒です。そこで私たちもよく利用しているシミュレーションサイトを紹介しましょう。野村證券の「みらい電卓（https://www.nomura.co.jp/hajimete/simulation/）」というマネーシミュレーターです。「いくらになる？」の項目に数字を入力していけば、一瞬でわかります。サイトには独自の計算方法があるため、先の計算式とは誤差が生じていますが、気にする必要はありません。なお、シミュレーションサイトの中には、年単位で計算しているものもあります。［図表-7］。

次に、「毎月積み立てる」の項目から「毎月いくら積み立てる？」の欄を見てください。

想定利回りを仮に5パーセントとし、目標金額は2千万円、つみたて期間を20年とします。すると、毎月つみたてる金額は「4万9千円」だとわかります。貯金で毎月必要となる金額の6割弱をつみたてることによって、同じ目標額を同じ期間で達成できることがわかります［図表-8］。

運用というのは、つみたてる期間が長いほど、より高い効果を発揮します。

例えば、資金目標2千万円を「貯金」で30年間かけて貯めるとすると、毎月約「5万6千円」が必要になります（ゼロ金利を想定）。

2千万円÷30年間÷12カ月＝約5万6千円

しかし、5パーセントの想定利回りで、目標金額2千万円を30年つみたてるとすると、毎月つみたてる金額は「2万5千円」。貯金額の45パーセントで達成できます［図表-9］。

ここまで差が開くのは、複利効果によるものです。複利とは、運用で得た収益を元本にプラスして運用し、得られた利益のこと。複利効果によって利益が利益を生み、どんどん大きくなっていきます。ここでは簡単な複利の計算式を使って説明しましょう。

[図表-7] みらい電卓で20年後の資産額を計算

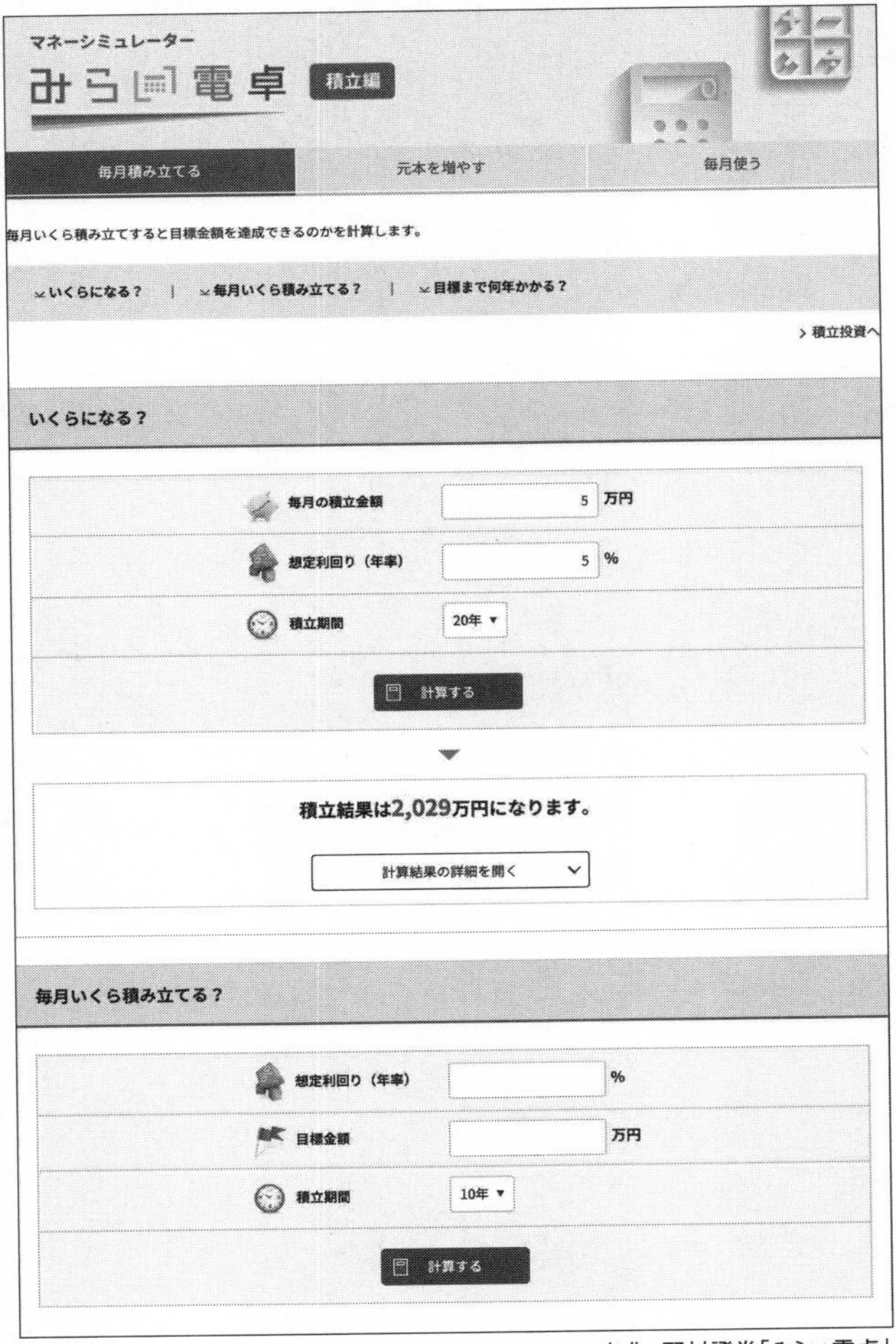

出典：野村證券「みらい電卓」

[図表-8] 2,000万円を目標に20年つみたてると、毎月の額は49,000円

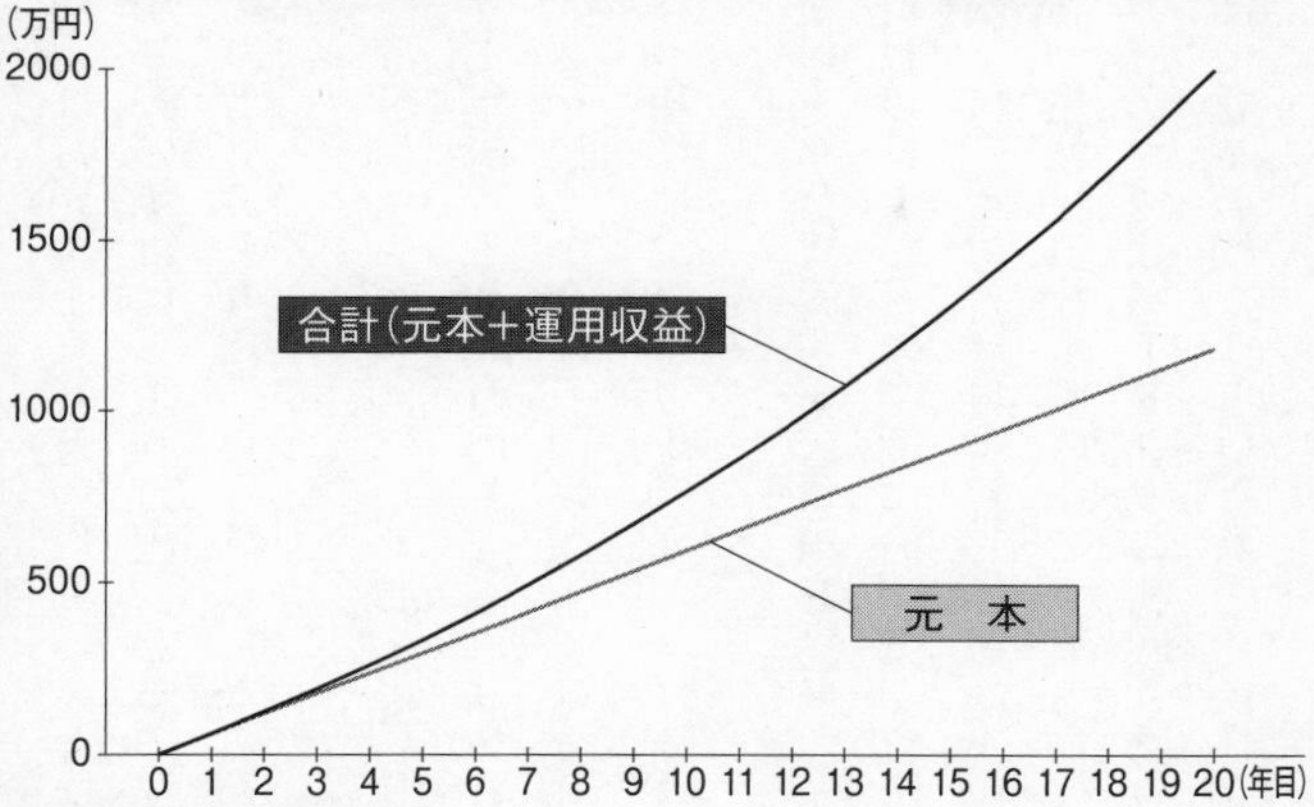

※想定利回り5%とした場合。
出典：野村證券「みらい電卓」より作成

[図表-9] 2,000万円を目標に30年つみたてると、毎月の額は25,000円

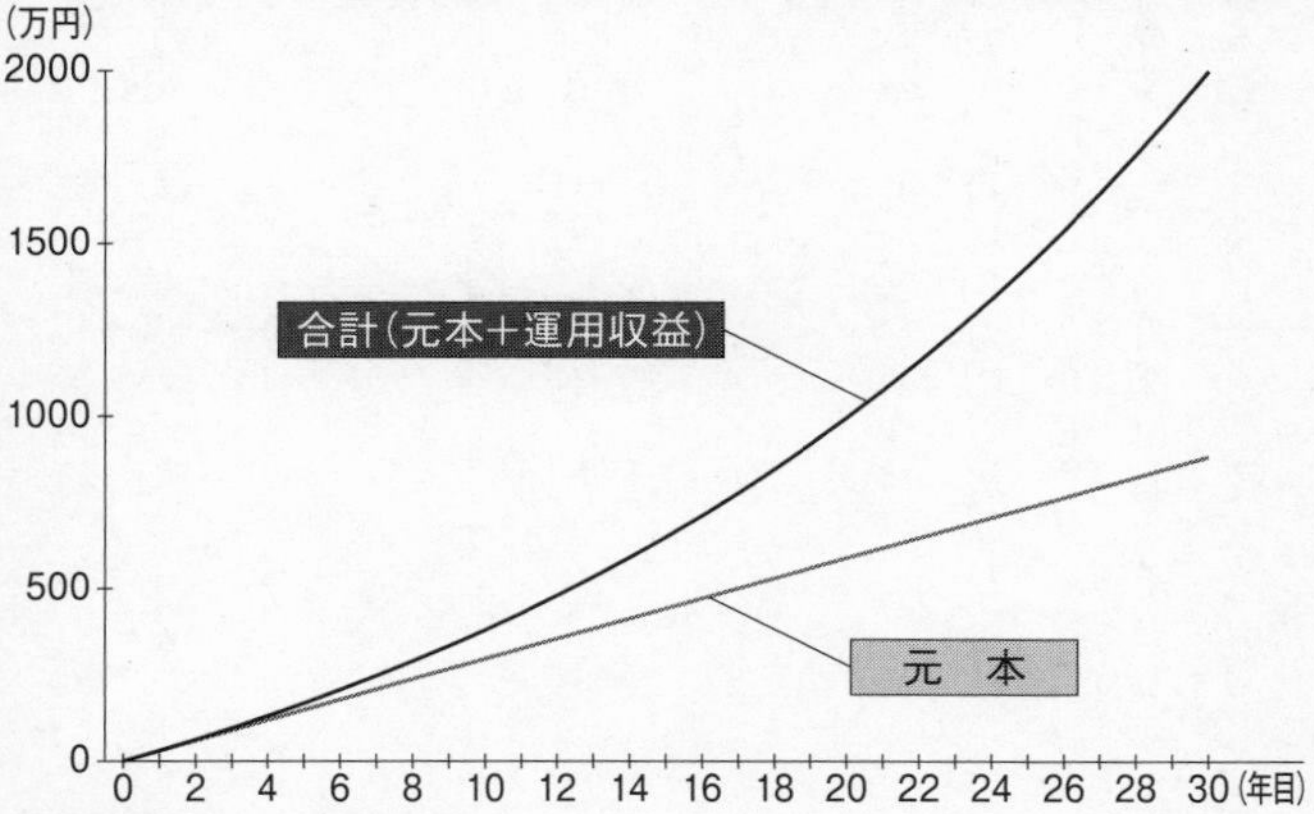

※想定利回り5%とした場合。
出典：野村證券「みらい電卓」より作成

例えば、元本100万円に5パーセントの利益がつくと、1年後には105万円となります。次の年には110万円になるのではなく、105万円に5パーセントがつくので、110万2500円という計算になるわけです。

元本　　　　　　　　　　　＝100万円
1年後　100万円×（1＋0・05）1乗＝105万円
2年後　100万円×（1＋0・05）2乗＝110万2500円
3年後　100万円×（1＋0・05）3乗＝115万7625円

新NISAに沿って資産運用を試算

新しいNISAの制度に沿って、資産運用の試算をしてみましょう。

例えば「つみたて投資枠」の年間上限枠120万円（月に10万円）をフルに使ったとすると、生涯投資枠上限の1800万円に達するのに、15年しかかかりません。これを「みらい電卓」で5パーセントの利回り想定として計算すると、合計額はおよそ2648万2千円で元本の約1・5倍となる可能性があり、これだけで老後資金として不足する2千万

[図表-10]毎月10万円ずつ生涯投資枠までつみたてた場合(15年)

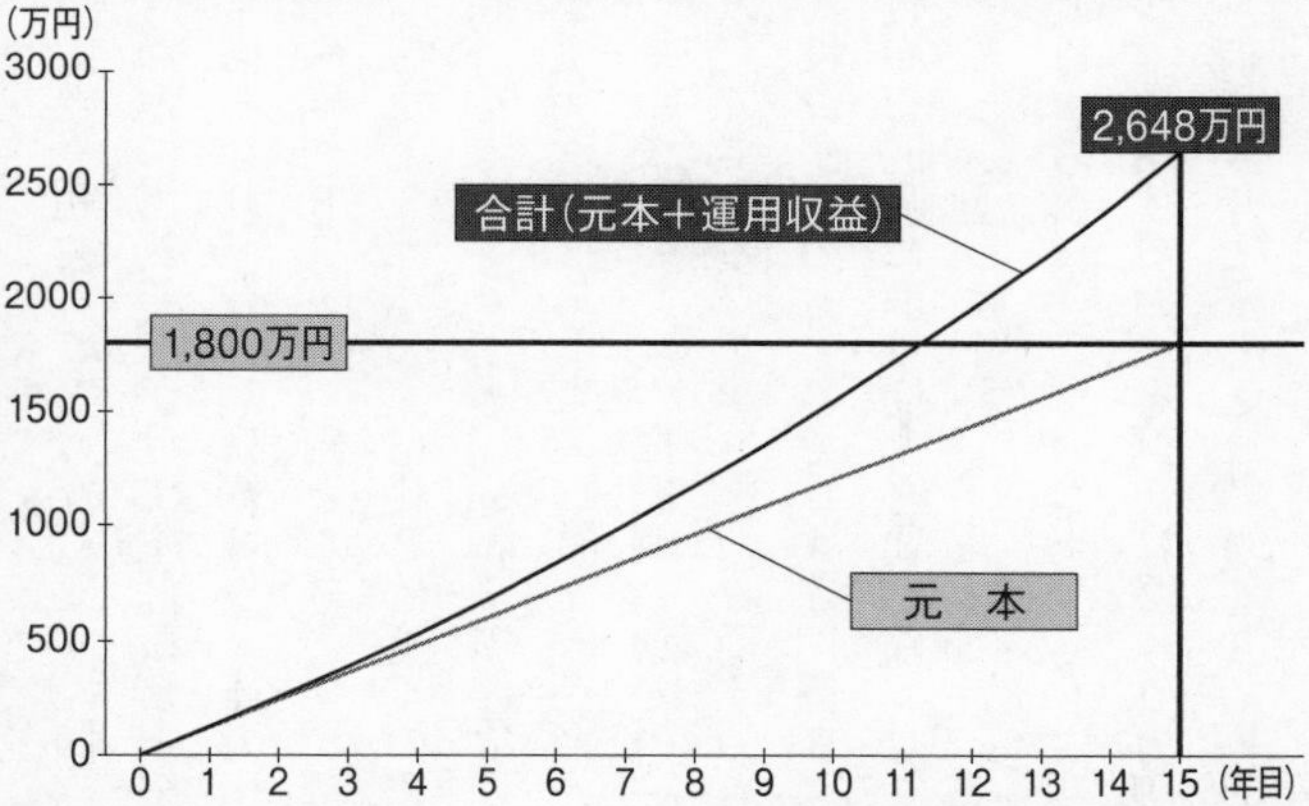

※想定利回り5%とした場合。　　出典:野村證券「みらい電卓」より作成

[図表-11]20年、25年、30年かけて生涯投資枠までつみたてた場合

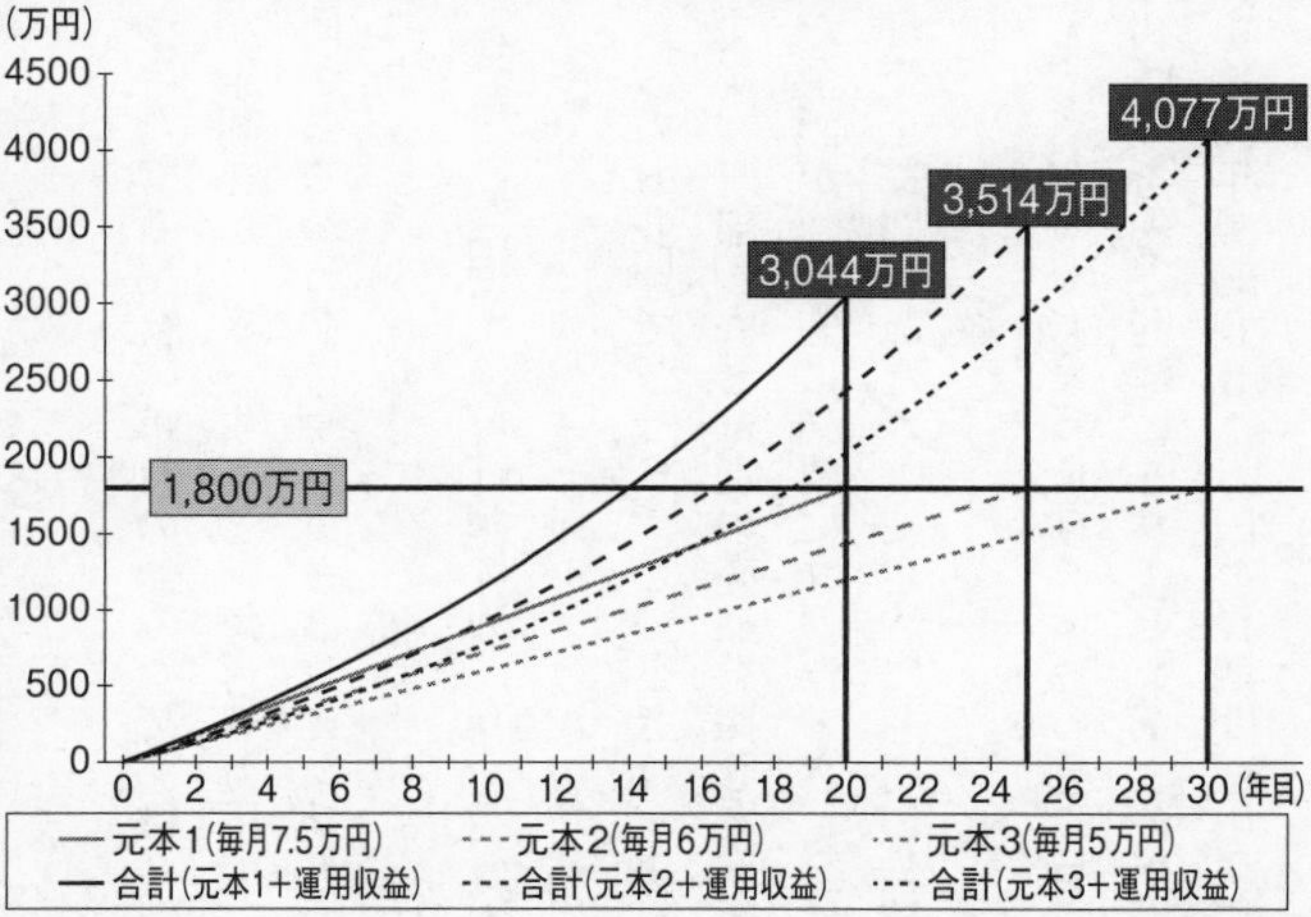

※想定利回り5%とした場合。　　出典:野村證券「みらい電卓」より作成

円を大きく超えることになります［図表 - 10］。

ちなみに、20年をかけて生涯投資上限額までつみたてる場合、毎月のつみたて額は7万5千円となり、合計額は約3044万円です。25年間をかけるとすると、毎月6万円で、合計額は約3514万円となります。運用中は何があるかわからず確実とは言えないものの、想定上、元本の実に約2倍近くの資産を獲得するという計算です。これよりもさらに時間で稼ぐことを考え、30年と設定した場合、毎月5万円で、合計額は約4077万円（元本の約2・3倍）となります［図表 - 11］。

つみたてていく途中に退職金などの一時金が入る人も多いでしょう。このときは、毎月つみたてているファンドを積み増すのもいいですが、一部これとは別の商品を探して、新たに投資するのもいいでしょう。将来まとまった金額が一時的に必要になったとき、全部の資産を同時に取り崩す必要がなくなります。資金を長期にわたって安定的に運用・維持できるというわけです。

計算するには、「みらい電卓」の「元本を増やす」から「いくらになる？」の欄に行きます。運用するお金を例えば240万円、想定利回りを先と同様に5パーセント、運用期間を仮に10年とすると、約391万円となります。20年で約637万円。長期間運用する

[図表-12]240万円を10年運用した場合(利回り別)

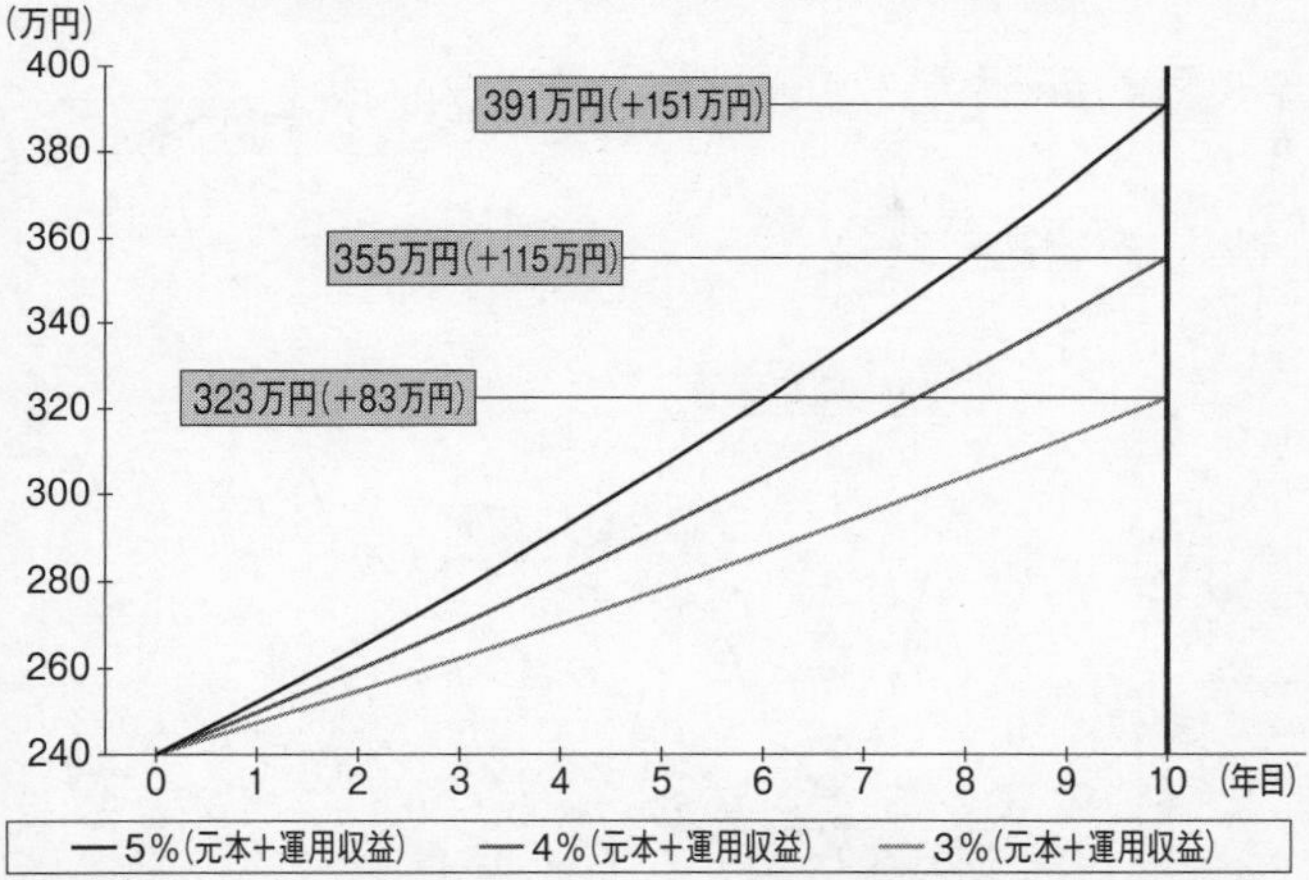

※想定利回り3%、4%、5%とした場合。　出典：野村證券「みらい電卓」より作成

[図表-13]2,000万円を定額で20年間引き出したときの各年の残額

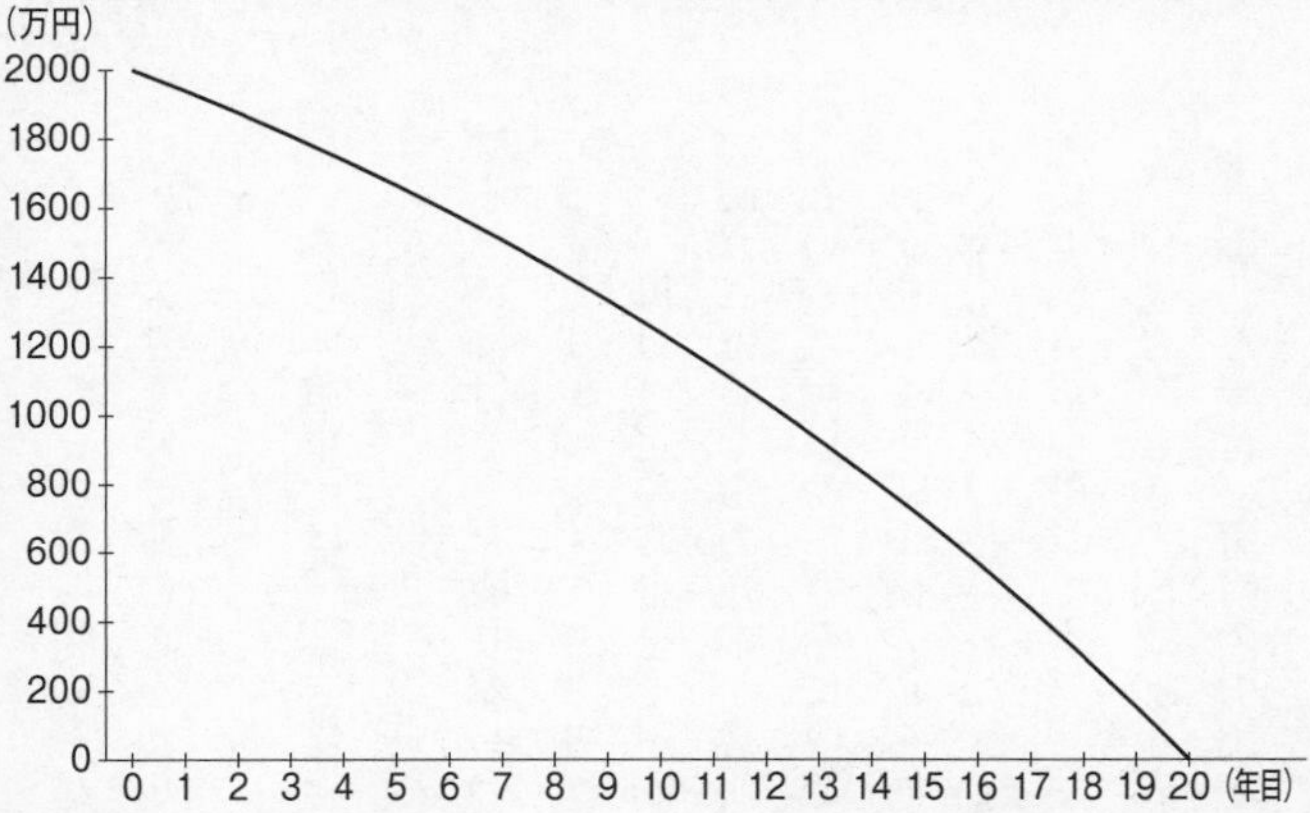

※想定利回り5%とした場合。　出典：野村證券「みらい電卓」より作成

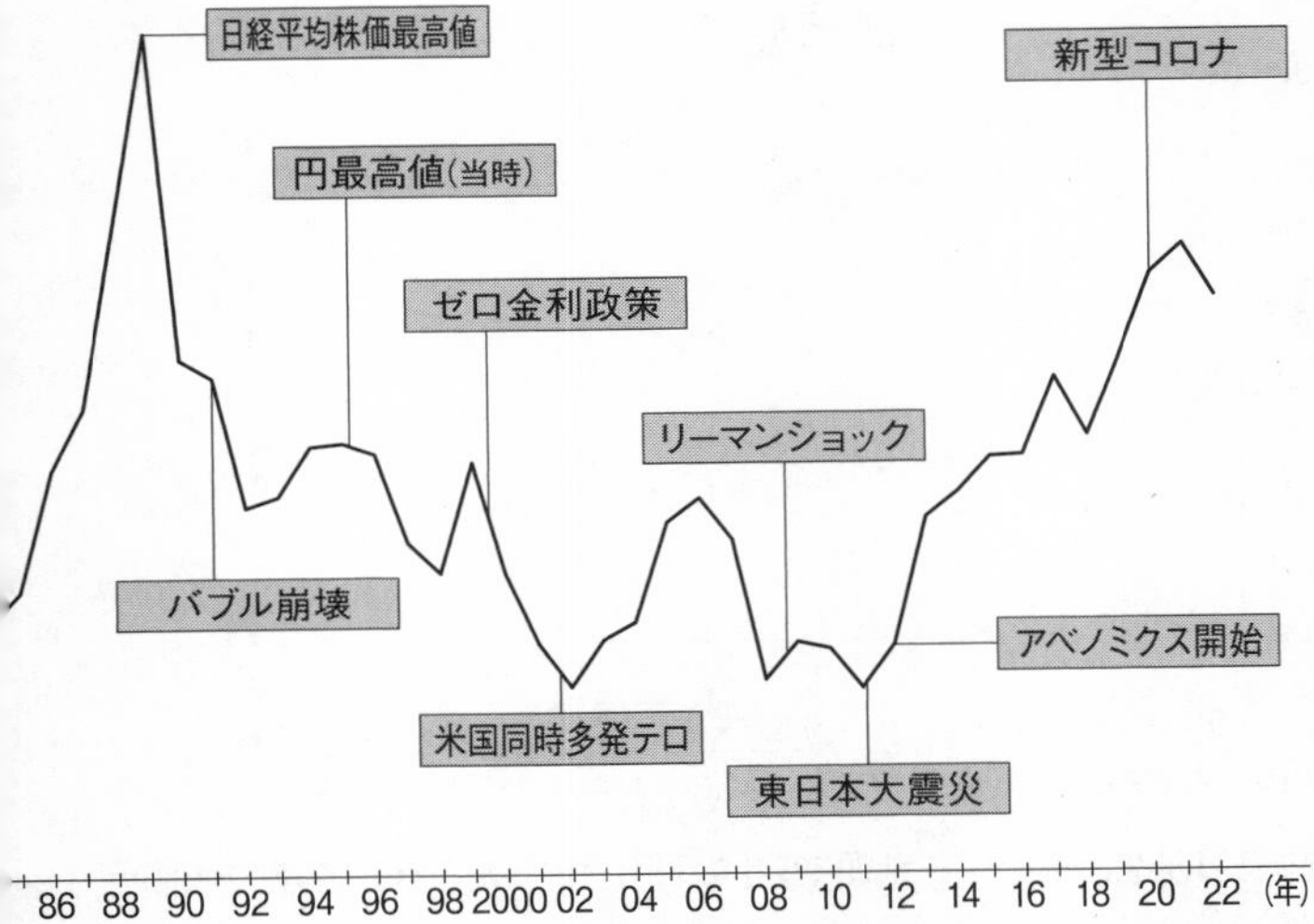

出典：「日経平均プロフィル」より作成

ことで、ここでも複利効果が効いて大きく伸びることがわかります［図表-12］。

「みらい電卓」は、「毎月使う」の項目から「いくら引き出せる？」に行くと、取り崩しのシミュレーションもできます。また、毎月一定のお金を一定期間使うにはいくらの元本が必要かといった計算や、さらに今あるお金をいくらずつ使ったら何年でなくなるか、といったシミュレーションも可能です。

例えば、2千万円を20年間引き出した場合、毎月の引出額は

[図表-14] 日経平均株価の推移(1949年〜2022年)

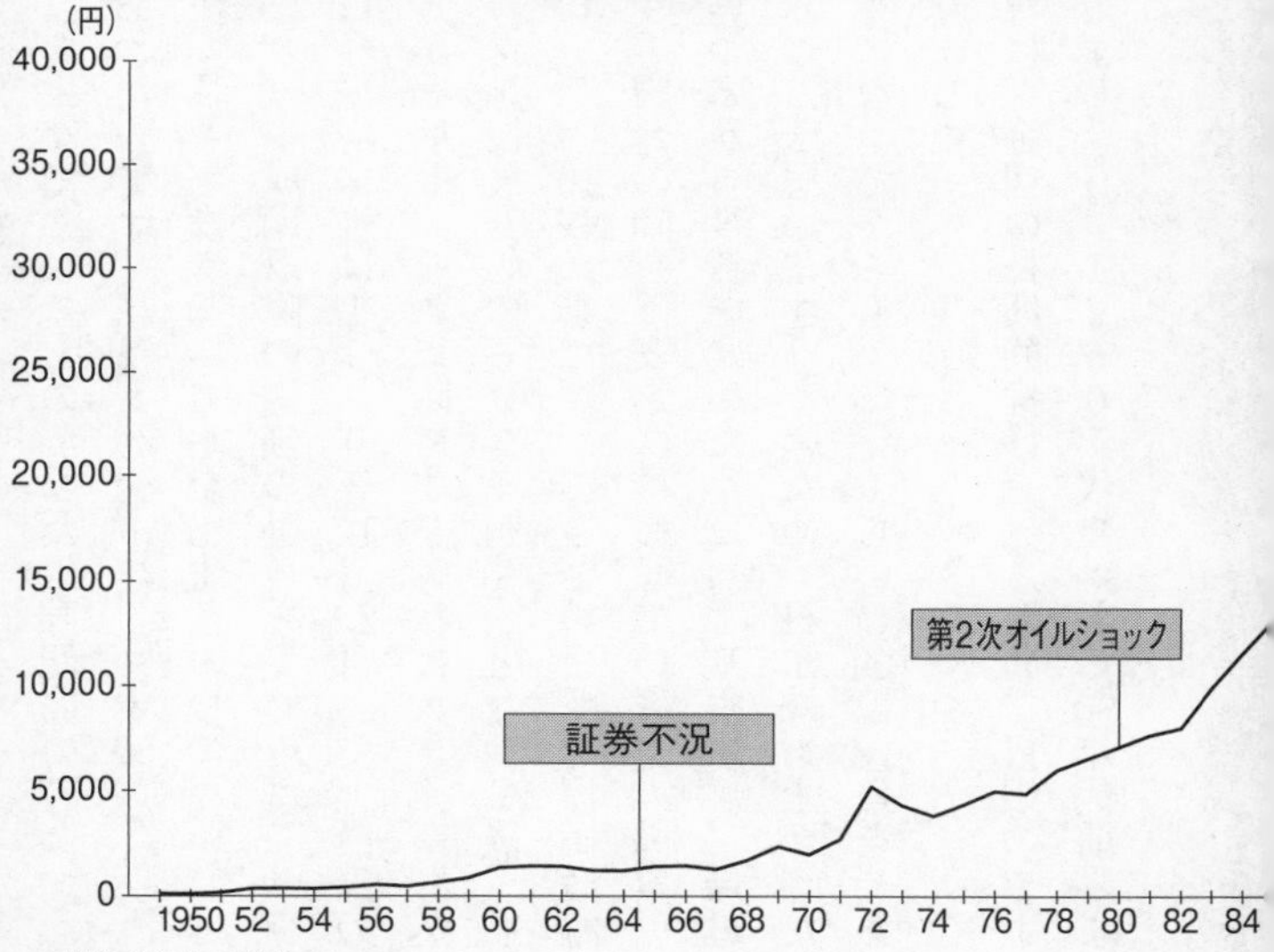

※指数は毎年の終値ベース。

13・1万円(想定利回り5パーセント)となります[図表-13]。

「みらい電卓」の他にも、金融庁や大和証券などにも同様のシミュレーションサイトがありますので、いろいろ試してみましょう。

・大和証券「カンタン!つみたてシミュレーション」
・金融庁「資産運用シミュレーション」

日本の投資はなぜ遅れを取ったのか

昭和後期の日本では、現金が

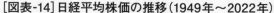

利益を生んでくれるものでした。郵便局の貯金でも6〜8パーセントほどつく高金利時代があったのです。私たちの親世代（70〜80代）は、お金は貯金でしっかり貯めようという時代、私も「投資なんて手を出すものじゃない」と刷り込まれていた時期がありました。

まず、平成期以降の株価の動きを見てみましょう。

日経平均株価は1989年12月29日、史上最高の3万8915円87銭をつけてから、バブルが崩壊し、それ以降はすり鉢状に大きく落ち込んでいきました。2008年10月28日にバブル後最安値の6994円90銭となって後、13年頃から上昇に転じ、21年9月には3万670円10銭にまで戻ってきています。岸田政権となってからは、2万4千円台から2万9千円台の間を不安定に推移しています［図表-14］。

いつ頃から投資を始めたかにもよりますが、最近の人はすり鉢の底を打った後に始めていることと思います。そのため、日本株も上がったということになっていますが、2000年になってからも、15年くらいの間は投資をやろうというムードが生まれない時代でもありました。

次に、金利の長期的推移を見るため、日銀のデータから短期プライムレートを振り返ってみましょう。1960年代後半から80年代前半まで、中には一時的に低い数字もありま

[図表-15]短期プライムレートの推移（1970年〜2022年）

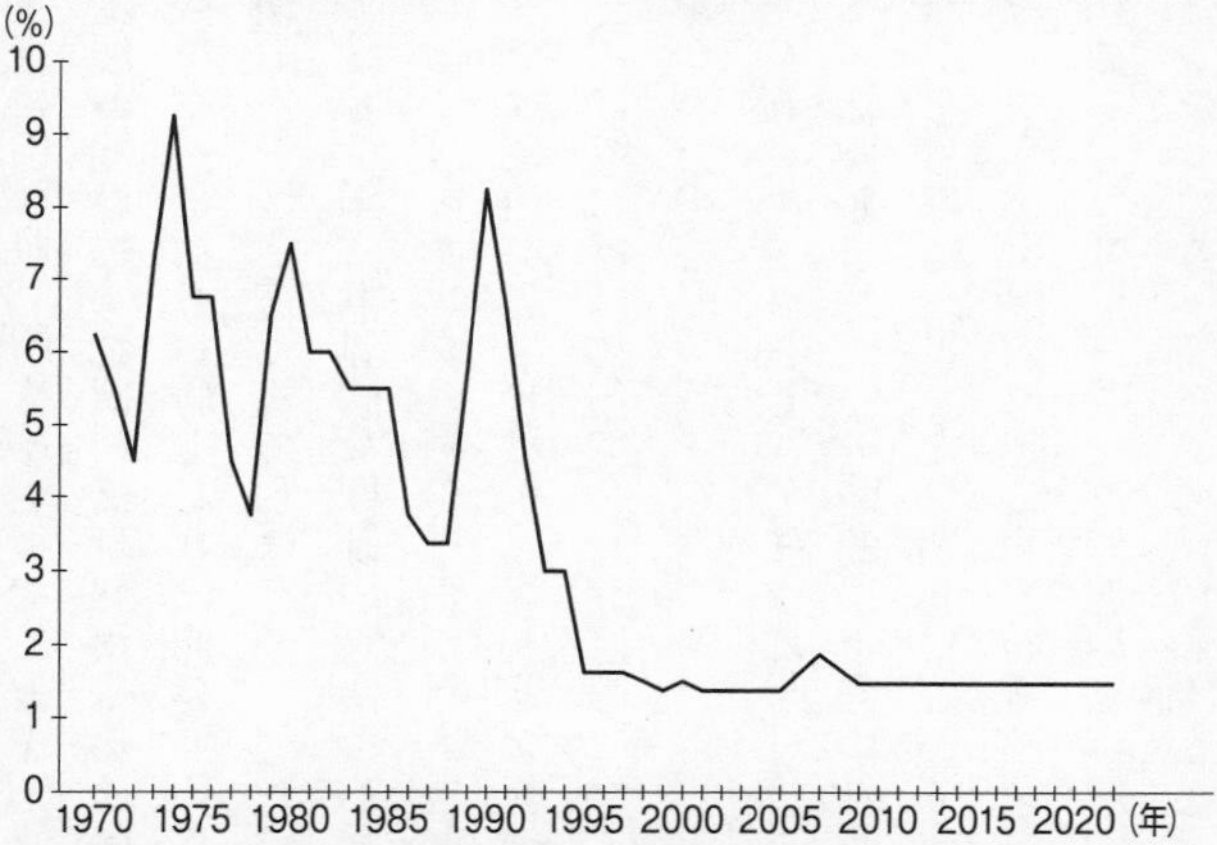

※1988年までは臨時金利調整法の範囲内で各行が自主的に決定した金利。1989年以降は都市銀行が短期プライムレートとして自主的に決定した金利のうち、最も多くの数の銀行が採用した金利。
※各年の最終的数値による。

出典：日本銀行「長・短期プライムレート（主要行）の推移」より作成

すが、おおむね6〜8パーセントという高い数字が出ていました。特に74年と80年の9・25パーセントが突出しています［図表-15］。

このように、日本では投資よりも預金の金利の方がいい時代が長く続いたということが言えます。

米国は70年代後半から80年代初頭にかけ、2年連続で2桁上昇の激しいインフレに見舞われ、短期プライムレートも81年には20パーセントを超えました。しかし、この高金利にドル高が重なったことによって不況へと進んでいきました。

この時代の日本人は目先の金利

のよさに引かれ、将来や老後のことをあまり考えてこなかったと言えなくもありません。一生懸命働いていれば、終身雇用や年功序列の制度に守られて会社からクビを切られることもなく、給料も右肩上がりに伸びていきました。このことも投資行動が加速されなかった理由の一つと言えるでしょう。

1987年、世界的な株価の大暴落が起こったときのように、デフレのときは「キャッシュ・イズ・キング（現金は王様）」と言われ、現金の重みが増してきます。これにつれて日本では金利が7〜8パーセントとなり、預金も10年で2倍にまで膨らみます。100万円を預けておけば10年で200万円になるような状態では、投資のことなど考える必要すらなかったのでしょう。

その後のバブル崩壊で、モノやサービスの価格は90年代半ばからマイナスとなり、デフレへと転換しました。一時的に上向いた時期もありましたが、平成期の間、デフレは穏やかながらもほぼ一貫して長期的に続いていることがわかります。

そして今、世界的に起こっているインフレは、原材料費など供給側のコスト上昇が原因で起こる「コストプッシュ」という「悪い形のインフレ」です。

インフレになってモノの値段が上がるということは、お金の価値が相対的に下がってい

[図表-16]家計の金融資産構成（日米欧比較）

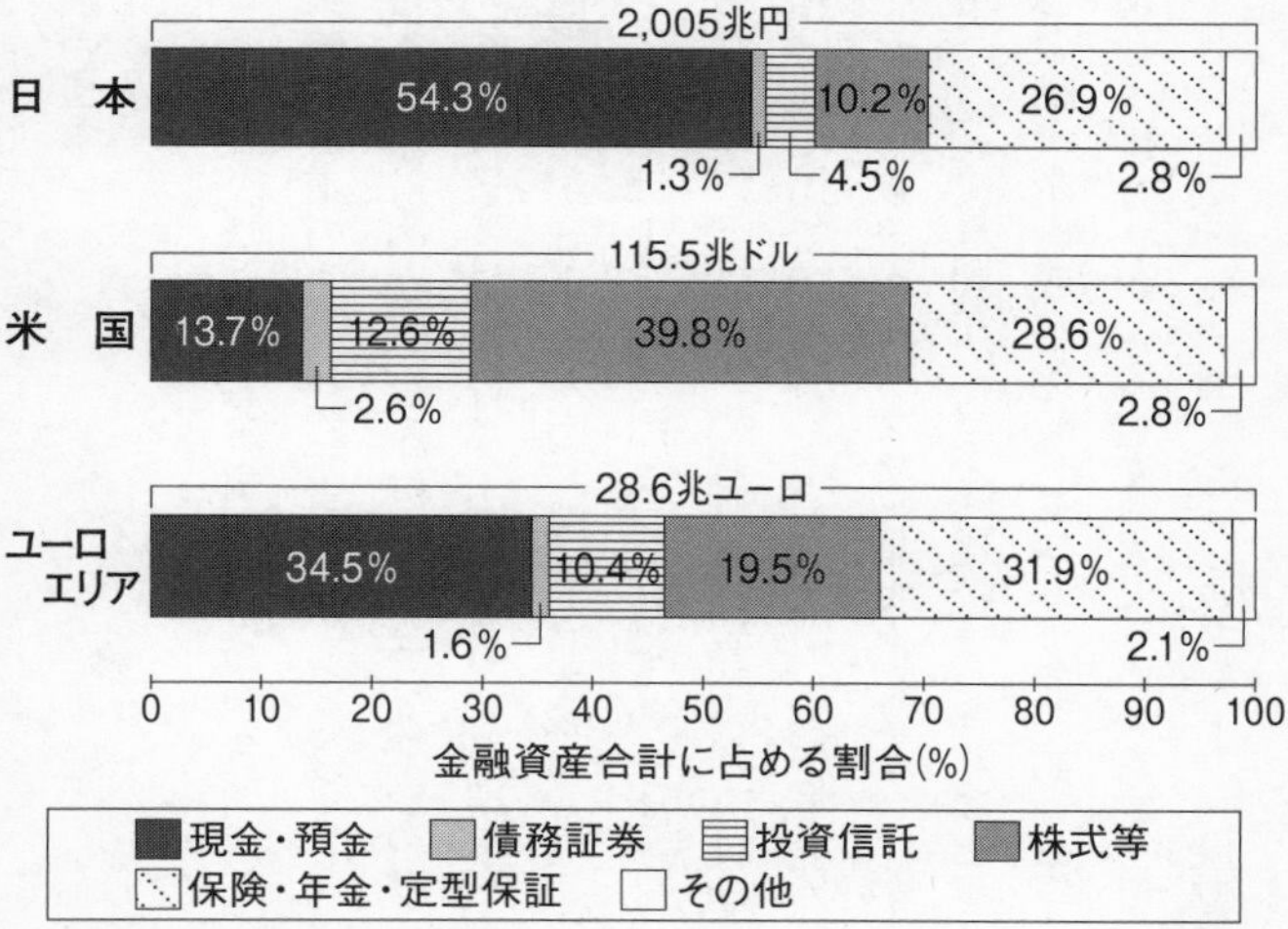

※各年の最終的数値による。
※構成比は小数点以下を四捨五入しているため、合計しても必ずしも100とならない。
出典：日本銀行「資金循環の日米欧比較」(2022年8月)より作成

くということです。日本のインフレ率が２パーセントということは、円の価値が２パーセントずつ落ちることになり、大量の現金・預金を持ち続けるのはあまりいいことではないとわかります。

米国のインフレはすでにピークアウトし、２０２３年には３・５パーセントに低下するとも予測されていますが、沈静化し、景気が上昇するにはまだ時間がかかりそうです。早めに頭をアップデートし、少しでも投資に目を向けていく必要があると思います。

日本人の家計に占める現金・預金の割合

次に、日本の家計の内訳をのぞいてみましょう。

日本で家計の金融資産は２０２３兆円あります（「２０２２年第４四半期の資金循環」２０２３年３月、日本銀行）。内訳としては現金・預金が１１１６兆円と約半分強を占め、この他に投資が３１１兆円、保険・年金・定型保証が５３６兆円となっています。このうち、タンス預金は１１０兆円と言われています。

ちなみに、家計に占める投資信託の残高は86兆円（構成費４・３パーセント）で、２０２１年は前年比で20～30パーセントと大きく伸びたのに対し、22年では第１四半期の10・４パーセント以降マイナスに転じています。

また、「資金循環の日米欧比較」（２０２２年８月、日本銀行）に、日本、米国、欧州の家計の金融資産構成を比較したデータがあります。

「現金・預金」が金融資産合計に占める割合は、日本で54・３パーセント、米国で13・７パーセント、欧州で34・５パーセント。「投資信託や株式など」は日本が16・０パーセント、米国が55・0パーセント、欧州は31・5パーセントです［図表‐16］。

日本は金融資産の過半数が現金・預金ですが、米国はこれと同じくらいの割合で投信や株を保有しています。米国の現金・預金保有率は、日本における投信・株の保有率と同じ程度のわずかな割合にすぎません。

これを見ると、米国はいかに多くの資金を投資に回しているか、そして日本がいかに現金・預金に偏り、投資をしていないかが明らかです。最近の調査でも、資産形成のための行動を起こしているのは2割に満たないことが明らかになっています。

日本人に現金・預金の意識が根づいたのはいつからだったのでしょうか。

1960年以降の主要国の貯蓄率を見ると、日本の貯蓄率が群を抜いて高いことがわかります。

「年次経済報告」（1975年8月、経済企画庁）によると、60年から73年までの平均貯蓄率は日本が19・3パーセントなのに対し、米国では6・7パーセント、英国では5・9パーセント、西ドイツ（当時）が少し高く、14・8パーセントとなっています［図表‐17］。

特に74年、日本の貯蓄率は最大で24パーセントにも達しました。

限界貯蓄率の平均では、日本が22・3パーセント、米国では7・4パーセント、英国で

[図表-17] 主要国の貯蓄率

国名	貯蓄率 1960～64年	1965～69年	1970～73年	1960～73年
日本	17.9%	18.6%	21.8%	19.3%
米国	5.5%	6.7%	8.0%	6.7%
英国	5.1%	5.8%	6.9%	5.9%
西ドイツ	14.0%	15.1%	15.3%	14.8%
フランス	10.9%	11.3%	12.8%	11.6%

国名	限界貯蓄率 1960～64年	1965～69年	1970～73年	1960～73年
日本	17.2%	22.0%	29.0%	22.3%
米国	4.8%	7.1%	10.2%	7.4%
英国	11.4%	5.5%	11.3%	9.3%
西ドイツ	13.6%	4.2%	11.9%	9.8%
フランス	13.7%	11.4%	18.1%	14.1%

出典：経済企画庁「年次経済報告」（1975年8月）より作成

は9・3パーセント、西ドイツが9・8パーセントです。

限界貯蓄率とは、所得の追加額から貯蓄の追加に振り向けられる金額の割合です。日本の限界貯蓄率が特に高いのは、高度経済成長期にあって所得が拡大したということと、ボーナスなど他国にはない特殊な習慣があったことが指摘されています。

「家計貯蓄率」の推移を知るため、内閣府の「家計可

[図表-18]家計貯蓄率

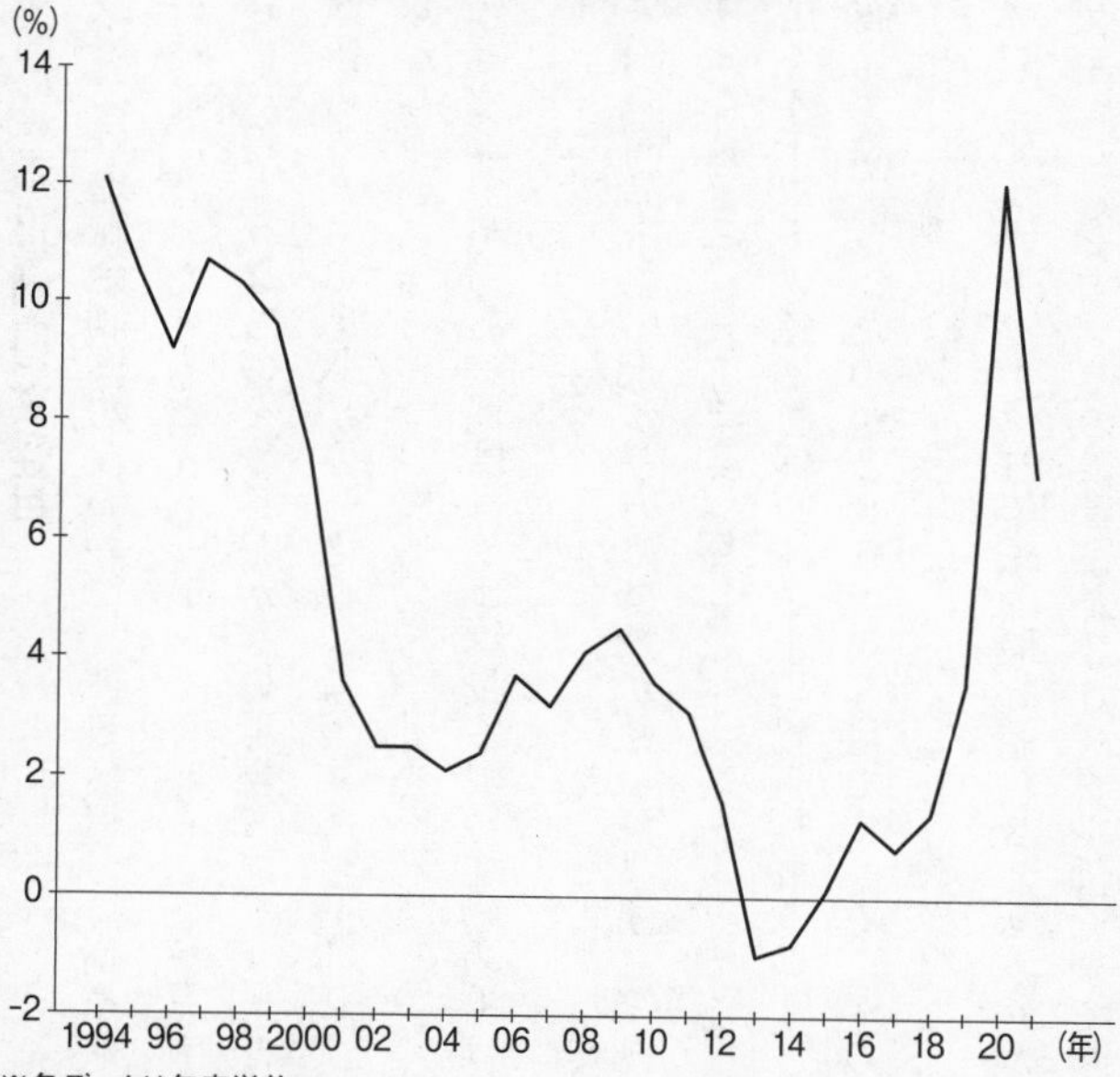

※各データは年度単位。
出典：内閣府「家計可処分所得・家計貯蓄率四半期別速報」(2023年4月)より作成

処分所得・家計貯蓄率四半期別速報（参考系列）」（2023年4月）を見てみましょう。1994年度の12・1パーセント以降はほぼ下がり、2013年度にマイナス1・0パーセントと底を打ってからは徐々に上昇に向かい、20年度には21・1パーセント、21年度には7・1パーセントと、比較的急激な回復が見られます［図表‐18］。

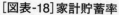

米国の株式市場動向にも注目

欧米には退職金制度がないので、彼らは自分で増やすしかありません。これによって自助の精神が育ったとも言えるでしょう。働いたらごく普通に401（k）という日本のiDeCoのようなものをやるしかない環境です。

米国の人たちは収入がさほど高くなくても、日本円で1億円くらいの資産を持っている人もかなりいるようです。「生きるのが大変」という人もいるため、二極化が進んでいるとも言えますが、ある程度コツコツ長く働いて勤め上げることで大きな資産が出来上がっていくのでしょう。

米国の商品市場の上がり方には驚かせられます。米国株式市場全体に投資する商品にVTI（Vanguard Total Stock Market ETF）というものがあります。大型株から小型株まで幅広く4千以上の銘柄を保有する上場投資信託（ETF）です。

商品が設定されたのが2001年5月です。そこから全期間のチャートを見てみましょう［図表-19］。08年にはリーマン・ショックがあって、しばらく落ちていました。20年のゾーンがコロナです。21年末の最高値約244ドルから22年10月には174ドルまでにダウンしています。その後はまた200ドル付近まで回復しています。インフレの影響も

［図表-19］VTIのチャート

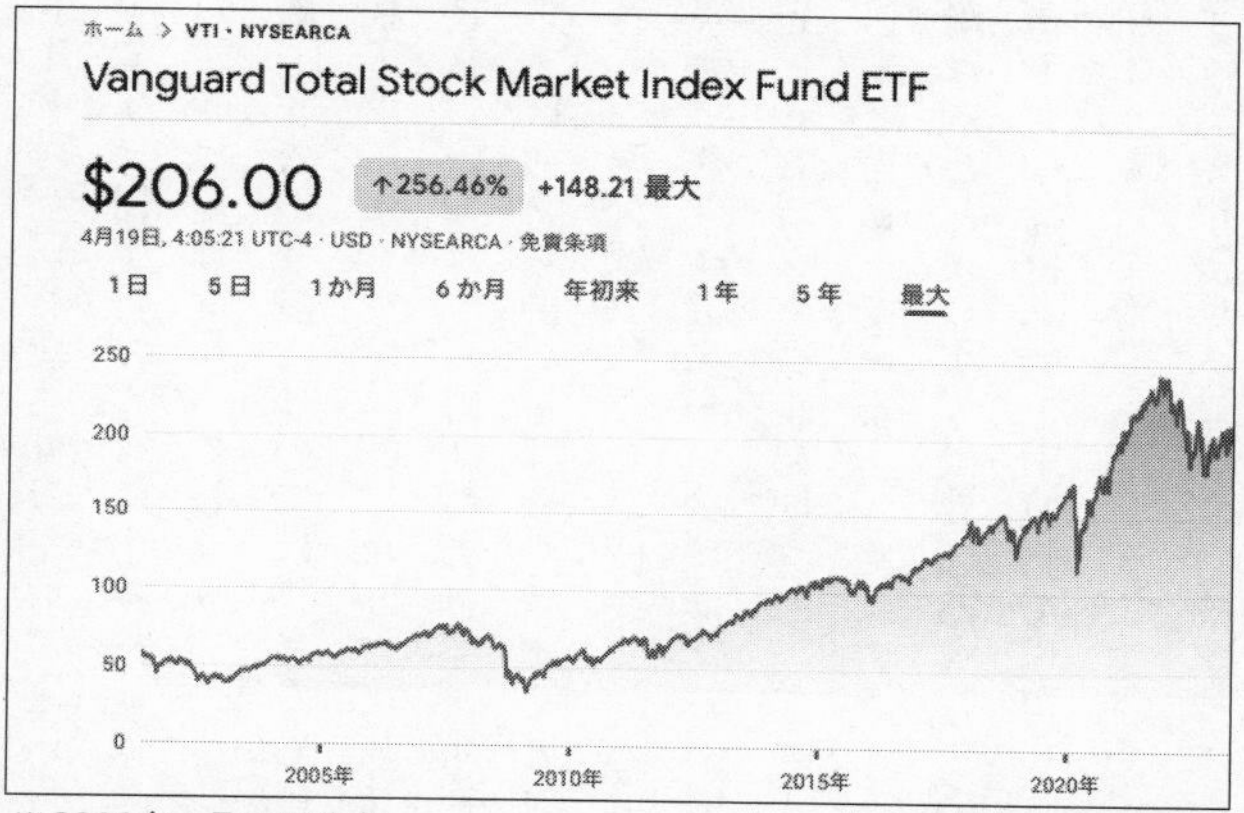

※2023年4月19日現在。　出典：Google Finance

ありますが、長期的に見れば上昇を続けているので、コツコツやっていれば十分伸びるということです。

日本の単元株は１００株が基本となっているため、まとまったお金が必要となります。しかし、このＶＴＩは、日本円にすると２万７千円前後（２０２３年２〜３月頃で２００ドル前後）で１株ずつ買うことができます。

他に、米国株式を中心に全世界の株式に投資する商品としてＶＴ（Vanguard Total World Stock ETF）もあり、１万２千円前後で買えたりします。こうしたものをコツコツ３株、５株、10株と安いときに買っていく方法で、米国のＥＴＦをうまく使っていくのもいいと思います。

ETFは、買ったら伸びていくというところがあり、悔しいですが、米国一強は周知の事実です。日本のマーケットや株価は米国の影響をダイレクトに受けており、これからもその構造は変わらないでしょう。

米国経済の今後については、私たちにとっても注意が必要です。2022年の米国株価は利上げによって全体的に下がっていましたが、10月以降は徐々に回復しています。ただ、FRBの政策はすぐに期待できず、本格的回復はまだ先になると考えた方がいいようです。インフレ懸念もまだしばらくは続くと見た方がいいでしょう。

考えてみれば、私たちが使っている商品やサービスは米国のものばかりです。ウィンドウズはマイクロソフト。パソコンの中に入っているのはインテルのチップ、アップルのiPhone、グーグルを使うし、フェイスブックも使うし、ツイッターのユーザーの多くは日本と言われています。そういうインフラが全部米国製品です。そして一つの企業が米国だけにとどまらず、世界に拡大しています。

グーグルは日本に1千億円を投資し、データセンターを作るという話です。そうやって米国本土だけでなく、アジアにも拠点を置くことで地理的にもグローバルな存在となっています。全世界型のインデックスファンドもいずれ定義がずれてきて、米国が標準になってしまうのかもしれないとさえ思えてきます。

制度施行前の2023年にやっておくべきこと

２０２２年以前から「つみたてＮＩＳＡ」を続けている人や、23年に始めたという人も多いと思います。その場合は、「つみたてＮＩＳＡ」を始めた年から数えて20年後（23年に始めた人の場合は42年）になったら、売るか、課税口座に移行するかを決めることになります。もし、元金40万円が１００万円になっていたとしたら、非課税のまま１００万円で売ることができるというわけです。

ですので、２０２４年になって新しいＮＩＳＡがスタートするとはいっても、これまでのつみたてＮＩＳＡを処分してしまう必要はまったくありません。むしろ、新しく始めた人よりも非課税枠を多く持つことになり、有意義な資産形成に使うことができます。もちろん、23年までのつみたてＮＩＳＡの非課税枠については無期限というわけではありません。

証券会社の保有商品一覧やポートフォリオなどでは、２０２３年までの口座状況と24年からの口座状況は別々に表示され、こうした設定も自動的に行われることになります。ただし、金融機関を変更するのであれば、前年の9月末までにＮＩＳＡの登録変更が必要です。

今、ＮＩＳＡを意識している人の中には、２０２３年は投資をせずに温存して、24年から勢いよく始めようと思っている人がいるかもしれません。しかし、余裕資金がまったくないという人は別として、23年に市場が成長する可能性もあるわけですから、今年の枠だけでもしっかりと使って早めにつみたてていくことをお勧めします。誤解しがちなところですが、つみたてを始めるのに、24年の新しいＮＩＳＡを待つ必要はないのです。

なお、生涯投資枠の１８００万円のうち、１２００万円が「成長投資枠」となっています。この枠はＥＴＦや個別株にも使えるわけですが、このため、「つみたて投資枠」としては６００万円しか使えないと思っている人が多いようです。しかし、成長投資枠は使っても使わなくても構わないものとなっており、１８００万円の枠は、すべてつみたて投資のためだけにも使えるという点にも気をつけてください。

非常に極端なことを言えば、１２０万円と２４０万円の合計額、年間３６０万円（毎月30万円）を5年間で入れ終えてしまい（年間３６０万円×5年＝１８００万円）、あとは放っておくことで運用するということも考えられるわけです。

もう少し現実的なことを言えば、20歳の子が毎月３万円ずつ、70歳までの50年間にわたってコツコツとつみたてることも可能です（年間36万円×50年＝１８００万円）。

このように１８００万円までの投資を自由に組み立てていくことができる制度となっているのです。私のお客様でもＮＩＳＡかｉＤｅＣｏを比較したとき、毎月３万円くらいで十分ということや、長く続けられる方がいいということから、ＮＩＳＡを選ぶ方が増えています。

例えば、ＥＴＦを買いたいとなったとき、これまでは課税口座でスポット購入するという選択肢しかありませんでした。しかし、新しいＮＩＳＡのもとでは、つみたて投資枠を使ってコツコツつみたてながら、ときどきスポットでＥＴＦを買いたいと思えば、成長投資枠を使って非課税で買うこともできるようになります。これからは、投資する商品をすべてＮＩＳＡの非課税枠でまとめることも可能になったのです。

なお、ＥＴＦとは、後でも登場しますが、東証などの金融商品取引所に上場している投資信託のことで、「Exchange Traded Funds」の略語です。

また、１８００万円の生涯投資枠を使い切ったとしても、例えばクルマを買いたいと思って買値で３００万円の投資商品を取り崩したとすると、その３００万円分の枠は翌年に空くことになります。これを「簿価残高方式」と言い、その枠内であれば、新しくつみたて投資を買い足していくことも可能となります。

なお、1800万円は投資によってできた資産総額としての残高ではなく、投資の元手としての金額です。残高が1800万円を超えていたとしても、元本が1500万円だったとしたら、あと300万円は投資ができるということです。

これまでのNISAでは投資枠を遡《さかのぼ》って使いたいと思っても不可能でしたが、新しいNISAはかなり融通の利いた制度になっていることがわかりますね。

第4章

「つみたて投資」のベストな買い方を考える

つみたて投資はどうやって始める？

つみたて投資を始めるに当たり、まずは買い方の方針を考えてみましょう。「アセットアロケーション」とも言い、資産配分を考えることを指します。

資産は一本にまとめて運用するのではなく、分散投資するというのがリスクを減らす一番基本的な考え方となります。なお、インデックスファンドは、商品そのものが多くの株式に分散投資しているため、自分で資産配分を考える前からすでに分散されているということになります。

そして、つみたて投資で購入できるインデックスファンドにはいろいろなタイプがあるため、ここからさらに配分を考えていきます。インデックスファンドのうち株式のみを対象とするファンドには、大まかに以下の五つのタイプがあります［図表‐20］。

◎全世界型

世界47カ国の株式の値動きを示す指数に連動。米国、欧州、日本などの先進国株式に加え、中国やインドなどの新興国株式を含む。１本のファンドで世界に分散投資をしたのと同様の効果が得られる。「日本を含む」オール・カントリーのタイプと「日本を除く」タ

[図表-20] つみたてNISAで買える主な商品タイプ（2019年）

<table>
<tr><td rowspan="11">インデックスファンド</td><td rowspan="10">株式のみを対象とするファンド</td><td rowspan="2">国　内</td><td>東証一部に上場する株式のうち市場を代表する225銘柄</td><td>日経平均株価（日経225）</td></tr>
<tr><td>東証一部に上場する株式全銘柄（約2,100銘柄）</td><td>TOPIX</td></tr>
<tr><td rowspan="2">全世界</td><td>全世界47カ国の大・中型株式約2,800銘柄</td><td>MSCI ACWI</td></tr>
<tr><td>全世界47カ国の大・中小型株式約7,800銘柄</td><td>FTSE Global All Cap</td></tr>
<tr><td rowspan="2">米　国</td><td>米国株式市場に上場する株式のうち大企業500銘柄</td><td>S&P500</td></tr>
<tr><td>米国株式市場に上場する株式のほぼ全銘柄（約3,600銘柄）</td><td>CRSP U.S. Total Market</td></tr>
<tr><td>先進国</td><td>日本を除く先進国22カ国の大・中型株式約1,300銘柄</td><td>MSCIコクサイ</td></tr>
<tr><td>新興国</td><td>新興国24カ国の大・中型株式約1,100銘柄</td><td>MSCI Emerging Markets</td></tr>
<tr><td colspan="2">バランスファンド</td><td colspan="2">4資産……日本・先進国の株式・債券
6資産……日本・先進国・新興国の株式・債券
8資産……日本・先進国の株式・債券・不動産＋新興国の株式・債券など</td></tr>
<tr><td>アクティブファンド</td><td colspan="4">継続的に投資家に支持・選択され、規模が着実に拡大しているものに限定（純資産額が50億円以上、運用実績が5年以上で、資金流入超の実績が認められる、信託報酬が低水準であるなど）</td></tr>
</table>

※2019年2月末時点。
出典：金融庁「NISA特設ウェブサイト」より作成

イプとがある。主な指数としては、「MSCIオール・カントリー・ワールド・インデックス（MSCI ACWI）」や「FTSEグローバル・オールキャップ・インデックス」など。

◎**米国型**

米国株式市場に上場する株式。主な指数としては、米国株式市場の大企業約500社を対象とした「S&P500」や、米国株式市場の大型株から小型株までの約4千社を網羅した「CRSP USトータル・マーケット・インデックス」など。米国株のみに対する投資となるので先進国よりリスクが高い。

◎**先進国型**

日本を除く、米国、英国、フランス、カナダ、ドイツなどの先進国22カ国に上場する大・中型株のうち、約1300銘柄が構成対象。米国の比重が6~7割と高い。主な指数に、「MSCIコクサイ・インデックス」がある。

◎**新興国型**

今後、高い経済成長が期待されるアジア、中東、アフリカ、南北アメリカ、欧州などの新興国24カ国の大・中型株約1100銘柄が構成対象。今後成長するであろう国の企業の集まりなので、値動きが激しくリスクが大きい。主な指数に、「ＭＳＣＩエマージング・マーケット・インデックス」がある。

◎国内型

東証プライムに上場する国内株式。主な指数に、市場を代表する２２５銘柄を対象とした日経平均株価（日経２２５）や全上場銘柄を扱うＴＯＰＩＸ（東証株価指数）がある。生産年齢人口の減少などを考えると、株価の大幅な上昇は期待しにくい。

例えば、10万円の資金をもとに5タイプの商品から選ぶとしましょう。私の個人的な考えを言うと、10万円のうち、まず3割を「全世界」に入れます。残りの7割を「米国」に35パーセント、「先進国」に17・5パーセント、「新興国」に17・5パーセントと振り分けます。その他に「国内」という選択肢がありますが、私は「国内」には入れません。

横山光昭のモデルケース（4本に配分、割合は全体配分）

・全世界30％＋米国35％＋先進国17・5％＋新興国17・5％＝１００％

私は自己主張が強く、自分のアロケーションを組み込んだ方がいいリターンが出ると思っているので、「全世界」には5割までは入れず、3割入れるという選択をしています。しかし、私が「国内」を除外するのも、あくまで一つの選択肢にすぎないことをお伝えしておきたいと思います。

また、「新興国」に入れるのはどうなのかという議論があるかと思いますが、私は20～30年以上先を見て入れています。現在のロシアによるウクライナ侵攻がどう影響するかというような、今の時流にあまりとらわれる必要はないと思っているところがあります。リスクはもちろん高いと思いますが、それなりのリターンも出るのではないかと考えているからです。

これから初めて取り組む人、まずは少額からやってみようという人にとっては、極端に長い将来を見ようとするのもどうかと思いますし、多額のお金を入れるわけにもいかないので、これほど細かい設定をしなくてもいいと思います。ただ、種類を組み合わせていくことは、安心材料が増えるというメリットにつながります。

まったくの初心者という場合、例えば月当たり2万円の余裕があるとしたら、半分の1万円はまず「全世界」に入れるのが無難です。残りの1万円をどうするかですが、次に入れておきたいのは「米国」。人によってはバランスを見て「先進国」も加えます。「新興国」や「国内」についてはここでは省いておきましょう。

このように考えると、例えば、

・２本に配分する場合……全世界に１万円＋米国に１万円
・３本に配分する場合……全世界に１万円＋米国に５千円＋先進国に５千円

こうしてわかりやすく２〜３本に配分するという選択ができます。

この他、２万円をバランスのよい「全世界」一本に入れるという考え方もできます。しかし、「全世界」はややリターンが出にくいと言えます。少しでもリターンに期待したいのであれば、「全世界」を軸にしつつ、やはり「米国」や「先進国」にも分散しておくのが得策です。自分なりの配分を組み立ててやってみると、勉強にもなるのでいいでしょう。

また、「先進国は調子が悪いけれど、米国はいい」というようなとき、一つだけを売って現金化することもできるので、何種類かに分散して持っていた方が後々有利に働くことも多いと思います。１種類の中から一部を売却することになったとき、好調な状態で手放すのは惜しいことだからです。

例えば、3千円や5千円とさらに少額で、「まずは一本買ってみよう」ということであれば、「全世界」一本でいくのもいいでしょう。とりあえず試しにやってみることで、投資のことがいろいろとわかってくるに違いありません。

ここではつみたて投資でインデックスファンドを買うことを前提としていますが、こうした資産配分については、誰かが決めた通りに買うものではなく、あくまで自分自身の判断で買うという姿勢が大事です。

タイプ別に複数の商品をチェックする

「米国」の伸びは今後も一番大きいと思うので、「先進国」を交えず、「全世界」と「米国」を半分ずつとした方がリターンも大きくなりそうです。

ただし、「米国」の方が「先進国」よりもハイリスクです。しかし、リスクは危険性というよりは不確実性と捉《とら》えます。また、リターンはリスクと反比例すると考えます。悪いことではありませんが、リターンを取るのであればリスクも取らないといけないことになってきます。

現在のところ、リスクが最も高いのは「米国」。反対に最も低いのが「全世界」です。その間に「先進国」が位置しています。

それぞれのタイプによって、組み入れている銘柄が違っています。一般的に組み入れ銘柄の数が多いほどリスクは少なく、またリターンも少ないとされています。個々の商品によって違いはありますが、「全世界」にはおよそ8千本もの銘柄が入っています。「米国」の場合は、連動する指数によって幅があり、５００～４千本です。中間的な存在の「先進国」で約１３００本となっています。

リスク、リターンの高さを順番に並べると、「米国」「先進国」「全世界」となります。なお、「新興国」は「米国」を突き抜けていると言っていいので、「新興国」「米国」「先進国」「全世界」という順番になるでしょう。

「新興国」のリスクは高いとされていますが、先ほども述べたように不確実性という意味合いです。ただし、中国やインドなどは人口ですでに14億人を超えているようなレベルですから、大きく化ける可能性があります。

生産年齢人口の増加率が非常に高い新興国諸国の現状を考えると、経済成長する可能性もありつつ悪くなる可能性もあり、この先どうなるかわからないところがあります。ただし、リターンが来るまでに最低10年以上は待つ必要があるため、定年期の人にはあまりお勧めできません。

以上4種類の他には「国内」があります。ただ、日本人だから「国内」だけを買うというケースはあまり見られません。「全世界」を買ってしまえば、その中に日本が5パーセントくらい含まれているので、それで十分だと考える人が多いようです。「国内」を別立てでしっかり買おうとは考えなくていいと思います。

少し変則的になりますが、3種類の配分を均等に3分の1ずつ配分してもいいでしょう。あとは配分せずすべてを全世界に設定する方法も考えられます。自分で自由にアレンジしてみてください。

もう一つあるとすれば、「全世界」の割合は先ほど5割としていましたが、これを3割として、残った7割のうち5割を「米国」、2割を「先進国」という配分にする案も考えられます。

「全世界」が全体に占める割合については、5割だと比較的無難な取り方となり、3割だと自分の考えを多く取り入れることになってくると考えるとわかりやすいでしょう。

金額は別として、ここまででつみたて投資の初心者向けにお勧め順の配分を整理してみ

[図表-21]つみたて投資の配分例

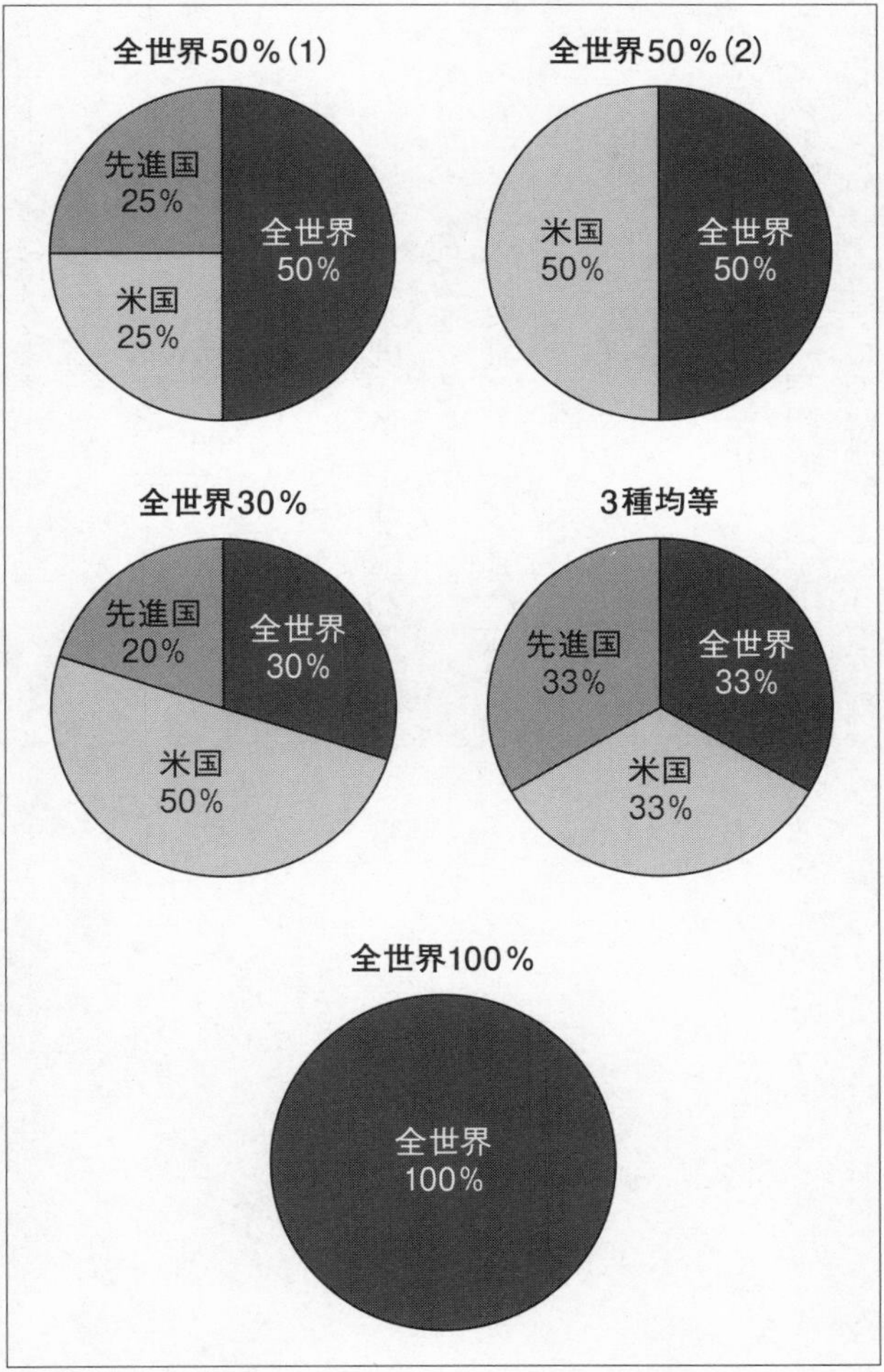

ると、以下のようになります［図表‐21］。

1　全世界の配分を50％に設定
（1）全世界50％＋米国25％＋先進国25％
（2）全世界50％＋米国50％
2　全世界の配分を30％に設定
・全世界30％＋米国50％＋先進国20％
3　3種類の配分を均等に設定
・全世界33％＋米国33％＋先進国33％
4　配分せず、すべてを全世界に設定
・全世界100％

つみたて投資で買う最強の黄金比

さらに少し踏み込んで、理想的なポートフォリオ（配分）を考えてみましょう。
ただし、高いリターンに期待するということは、ある程度のリスクも見ておかなくては

[図表-22]配分のバリエーション

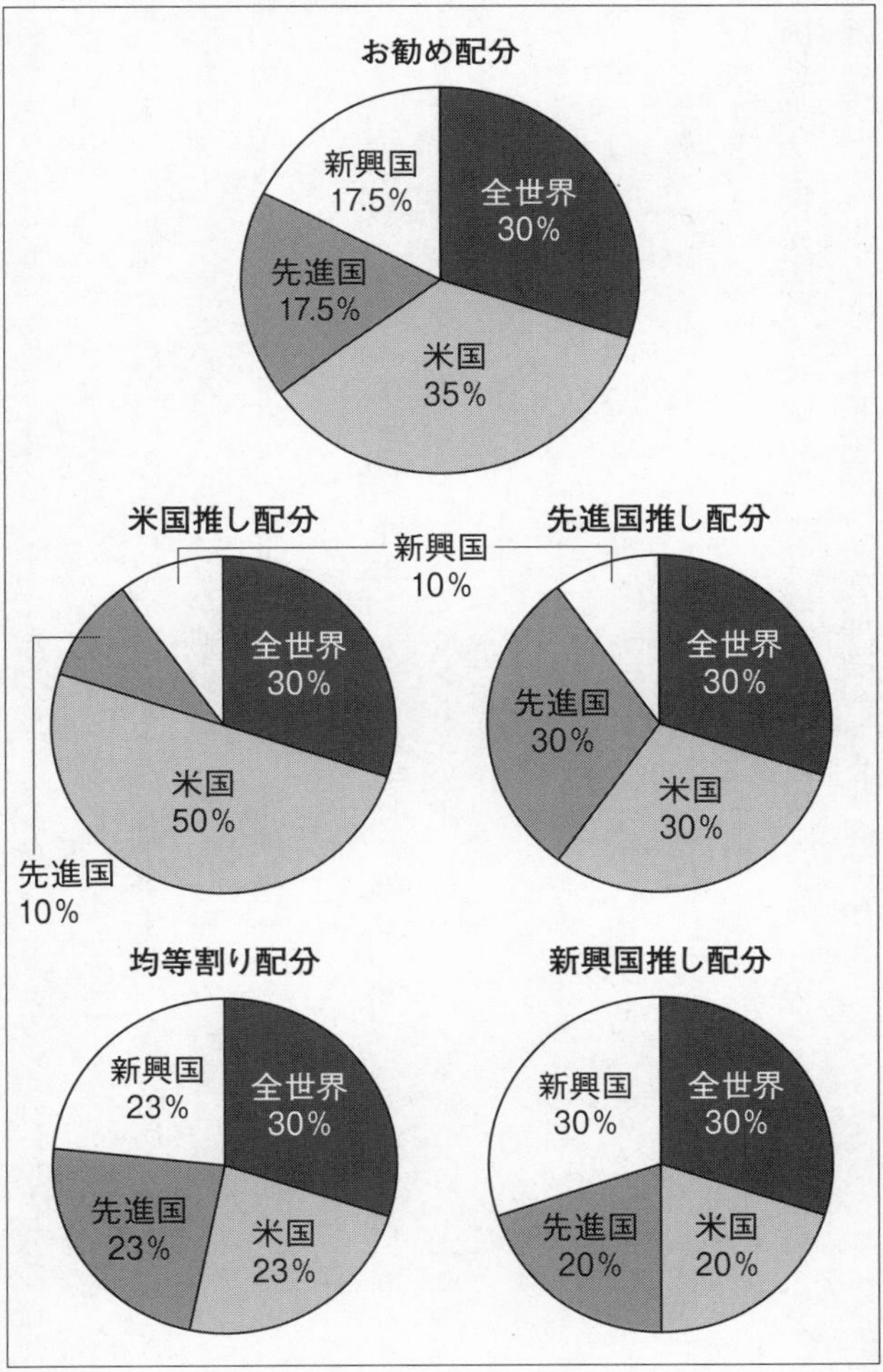

ならないということでもあります。ここでお勧めする配分は、リスクを許容できる投資経験者に限定しておきたいと思います。

私は仕事柄、日頃より最善の組み合わせを考えているのですが、今の時代を捉えたときに、最もリターンが見込めると思われるお勧めの配分がこちらです［図表‐22］。

◎**お勧め**　全世界30％＋米国35％＋先進国17・5％＋新興国17・5％

まずは「全世界」を総予算の30パーセント分買います。残りの70パーセントを自分のオリジナリティに充てます。そのうち35パーセントを米国、17・5パーセントを「先進国」、17・5パーセントを「新興国」とします。

次に、これをベースにした米国推しや先進国推しを考えてみることにしましょう。

米国推しは、先の「米国」35パーセントを50パーセントに変更して、「先進国」を調整します。無難な成績を狙いたいのであれば、反対に「先進国」を少し増やして、「米国」を下げます。

◎**米国推し**　全世界30％＋米国50％＋先進国10％＋新興国10％

◎**先進国推し**　全世界30％＋米国30％＋先進国30％＋新興国10％

さらに、「全世界」以外の三つを完全均等まではいかなくても、同じくらいの量にする考え方と、これからの成長に期待して、「新興国」を30パーセントに上げる考え方です。

◎均等割り　全世界30％＋米国23％＋先進国23％＋新興国23％

◎新興国推し　全世界30％＋米国20％＋先進国20％＋新興国30％

最後に、「国内」はここでは入れませんでしたが、ここから伸びるという投資家もいます。そういう人は、5～10パーセント程度入れておくといいでしょう。

リスクとリターンの関係を知っておく

「全世界」一つだけを買うということは、投資のプロが考えた銘柄の組み合わせをワンパックにしてそのまま買うことになるので、初心者にも難しいことはありません。

「全世界」に限らずですが、個々のファンドが対象としている個々の銘柄や配分などは投資のプロが調整し、変更したりしています。配分が自動的に調整されるのは便利ではありますが、そこにまったく自分が関わることなくお金だけ出しているということになるので、それではつまらないという人もいるかもしれません。

そこで、自分の期待や意向も反映するには、と考えると、多少なりともリスクを取るということになります。なお、ここで言うリスクは、あくまでつみたて投資で買える商品の範囲内のことで、投機やギャンブルのような過剰なリスクのことを言っているのではありませんのでご安心ください。

リスクを取ってリターンを目指した結果、自分の希望が叶《かな》うことになるわけですが、リスクが高い分、逆の結果になることもあるということになります。

しかし、勉強にもなるので、自分でいろいろ考え、組み立てるパーツを選んでいくのは面白いと思います。「ああ、やっぱり米国は強い」とか、「米国」と「先進国」と半々で同時期に始めていたら、「やっぱり米国は伸びるんだね」というように、それぞれの成果の違いを確認することができます。

商品は、楽天証券やSBI証券などの証券会社から購入することになりますが、その大元があり、例えば全米だったらVTI（バンガード・トータル・ストック・マーケットETF）などが選ばれたりします。米国株式市場の大型株から小型株までの約4千銘柄で構成されたCRSP USトータル・マーケット・インデックスという指数がありますが、V

ＴＩはこの指数に連動するように運用されるインデックス型のＥＴＦのことです。

インデックスとは指数のこと、ファンドは投資信託とほぼ同義ですから、インデックスファンドとは、こうした指数と同じ動きをするように売り買いされている投資信託だというわけです。

ネット証券で口座を開設しよう

投資信託の基本がわかったところで、いよいよＮＩＳＡの口座を開設することにしましょう。

つみたて投資の対象商品を扱う証券会社は数多くありますが、本書では全体的に手数料も安く、取り扱い商品も豊富なネット証券を選択することにします。金融のデジタル化が進む今、証券会社も対面型より、圧倒的にネットが主流となっているのはご存じの通りです。ネット証券なら、セールスの電話がかかってくることもなく、マイペースで取り組むことができます。口座開設手続きや本人確認から取引まですべてパソコンでもスマホでもできますので、場所や時間を選びません。

なお、投資できる金額が１００円から（一部証券会社では千円から）というのもうれしい点です。一般の株式投資などでは取引が成立すると手数料が引かれますが、つみたて投資では購入手数料もかかりません。

ちなみに、ネット証券人気ランキングでは、1位がSBI証券、2位が楽天証券、3位が松井証券（ザイ・オンライン　2023年1月）。口座開設数では1位がSBI証券（954万口座）、2位が楽天証券（865万口座）、3位が野村證券（535万口座）（Yahoo!ファイナンス　2022年12月）。また、ネット証券の取扱商品数ランキングでは、1位がSBI証券、2位が楽天証券、3位が松井証券（ザイ・オンライン　2023年5月）。つみたて投資対象商品数に限っていえば、SBI証券が166本、松井証券が160本、楽天証券が155本となっています（ウエルスアドバイザー　2022年3月）。

以上から、SBI証券と楽天証券が選ばれると思います。SBI証券ではTポイントやVポイント、Pontaポイントなどと連携ができ、楽天証券には楽天ポイントと連携できるサービスがあります。

なお、取引や買い物で貯めたポイントを次の購入に充てる「ポイント投資」については、SBI証券のポイントが使えるのは、これまで投資信託の金額指定の買付だけでしたが、2023年2月からつみたて投資にも使えるようになりました。楽天証券では普通に買い物などでついたポイントも含めてつみたて投資の購入に使うことが可能です。さらに楽天キャッシュ（電子マネー）を使ってポイント率を上げることもできます。

ポイントにからめて言うと、つみたて投資はクレジットカードで決済することも可能です。カードの種類は限られていますが、決済することでカードのポイントがつきます。SBI証券で使えるクレジットカードと付与されるポイントの種類は以下の通りです。

・三井住友カード（Vポイント）
・タカシマヤカード（タカシマヤポイント）
・東急カード（TOKYU POINT）
・アプラスカード（アプラスポイント）

楽天証券の場合、クレジットカードは楽天カード（楽天ポイント）の一択となります。

SBI証券、楽天証券ともに、投資のオンラインセミナーや金融教育に関するワークショップを盛んに開催しています。また、「投資情報メディア」を無料発行しているので、投資に関する総合的な学習に役立てましょう。

[図表-23] 楽天証券で口座を開設する

①口座開設の申し込み

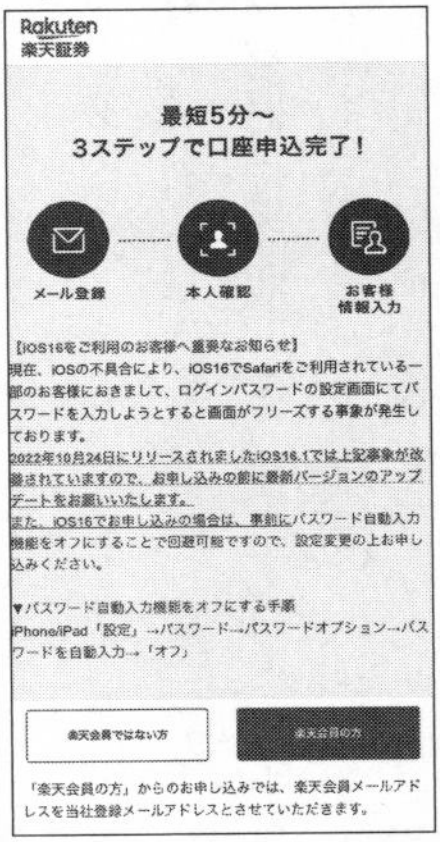
Rakuten
楽天証券
最短5分～
3ステップで口座申込完了！
メール登録
本人確認
お客様
情報入力
【iOS16をご利用のお客様へ重要なお知らせ】
現在、iOSの不具合により、iOS16でSafariをご利用されている一部のお客様におきまして、ログインパスワードの設定画面にてパスワードを入力しようとすると画面がフリーズする事象が発生しております。
2022年10月24日にリリースされましたiOS16.1では上記事象が改善されていますので、お申し込みの前に最新バージョンのアップデートをお願いいたします。
また、iOS16でお申し込みの場合は、事前にパスワード自動入力機能をオフにすることで回避可能ですので、設定変更の上お申し込みください。
▼パスワード自動入力機能をオフにする手順
iPhone/iPad「設定」→パスワード→パスワードオプション→パスワードを自動入力→「オフ」
楽天会員ではない方
楽天会員の方
「楽天会員の方」からのお申し込みでは、楽天会員メールアドレスを当社登録メールアドレスとさせていただきます。

トップページ下の「口座開設」ボタンから申し込み画面へ。

②メール登録

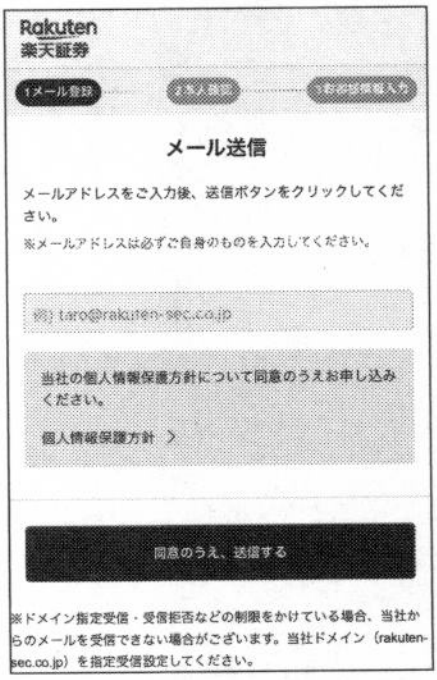
Rakuten
楽天証券
1メール登録
2本人確認
3お客様情報入力
メール送信
メールアドレスをご入力後、送信ボタンをクリックしてください。
※メールアドレスは必ずご自身のものを入力してください。
例) taro@rakuten-sec.co.jp
当社の個人情報保護方針について同意のうえお申し込みください。
個人情報保護方針 ＞
同意のうえ、送信する
※ドメイン指定受信・受信拒否などの制限をかけている場合、当社からのメールを受信できない場合がございます。当社ドメイン（rakuten-sec.co.jp）を指定受信設定してください。

メールアドレスを記入して送信。アドレスの登録を行う。
※楽天会員の人は上記画面がスキップされ、③「本人確認書類を提出」画面へ遷移する。

③本人確認書類を提出

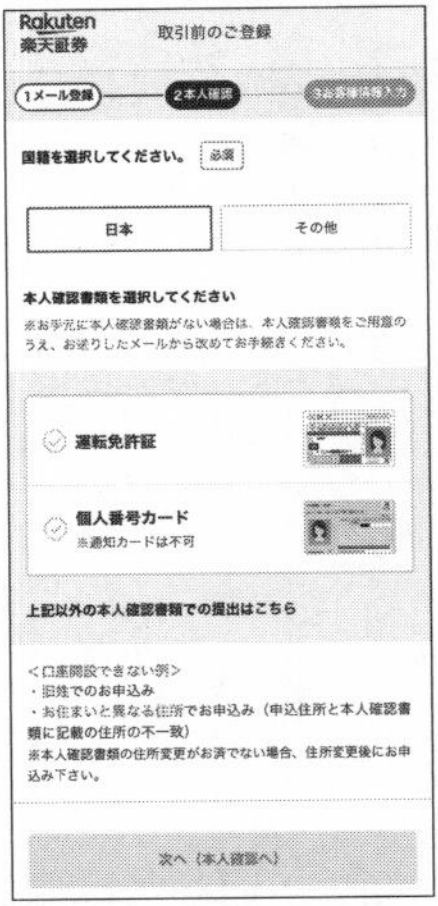
Rakuten
楽天証券
取引前のご登録
1メール登録
2本人確認
3お客様情報入力
国籍を選択してください。 必須
日本
その他
本人確認書類を選択してください
※お手元に本人確認書類がない場合は、本人確認書類をご用意のうえ、お送りしたメールから改めてお手続きください。
運転免許証
個人番号カード
※通知カードは不可
上記以外の本人確認書類での提出はこちら
＜口座開設できない例＞
・旧姓でのお申込み
・お住まいと異なる住所でお申込み（申込住所と本人確認書類に記載の住所の不一致）
※本人確認書類の住所変更がお済でない場合、住所変更後にお申込み下さい。
次へ（本人確認へ）

受信した案内メールから本人確認書類をアップロードする。

④利用者情報を入力

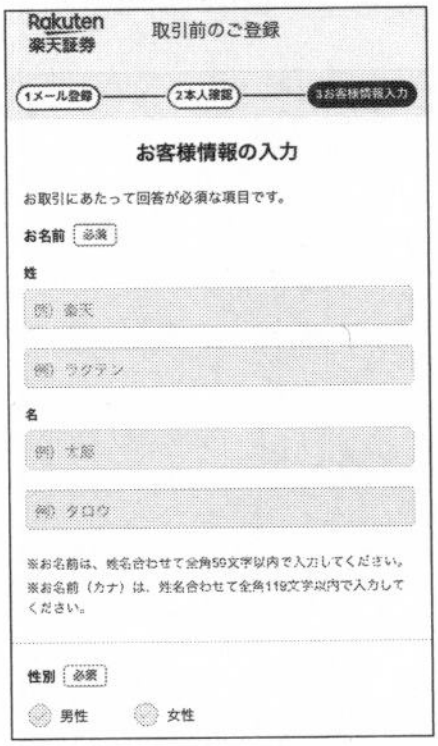
Rakuten
楽天証券
取引前のご登録
1メール登録
2本人確認
3お客様情報入力
お客様情報の入力
お取引にあたって回答が必須な項目です。
お名前 必須
姓
例) 楽天
例) ラクテン
名
例) 太郎
例) タロウ
※お名前は、姓名合わせて全角59文字以内で入力してください。
※お名前（カナ）は、姓名合わせて全角119文字以内で入力してください。
性別 必須
男性
女性

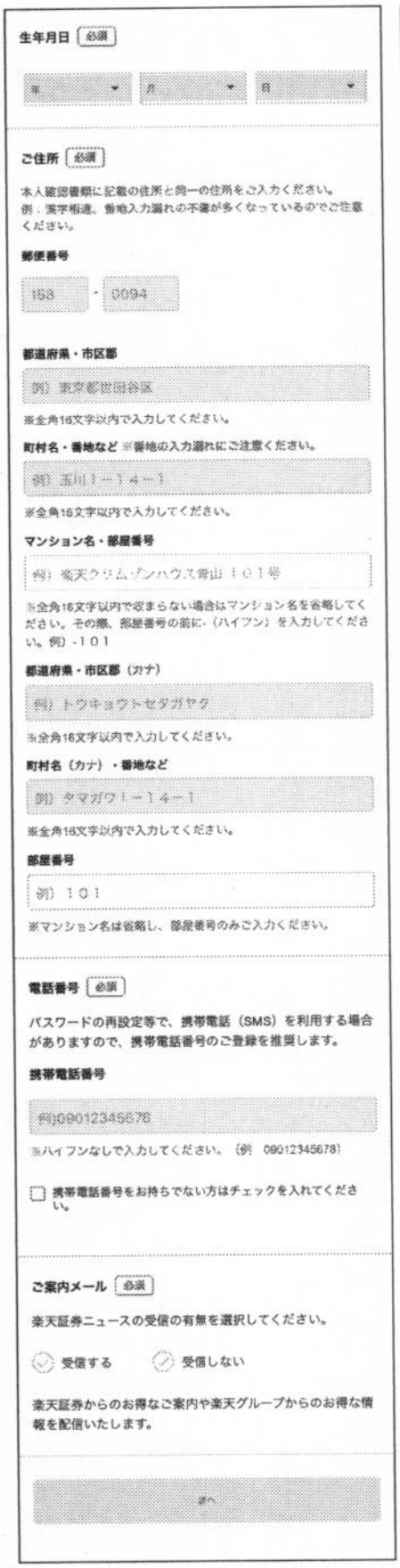
生年月日 必須
ご住所 必須
本人確認書類に記載の住所と同一の住所をご入力ください。
郵便番号
都道府県・市区郡
※全角16文字以内で入力してください。
町村名・番地など
マンション名・部屋番号
都道府県・市区郡（カナ）
町村名（カナ）・番地など
部屋番号
※マンション名は省略し、部屋番号のみご入力ください。
電話番号 必須
パスワードの再設定等で、携帯電話（SMS）を利用する場合がありますので、携帯電話番号のご登録を推奨します。
携帯電話番号
携帯電話番号をお持ちでない方はチェックを入れてください。
ご案内メール 必須
楽天証券ニュースの受信の有無を選択してください。
受信する
受信しない
楽天証券からのお得なご案内や楽天グループからのお得な情報を配信いたします。
次へ

氏名などの基本情報を入力する。

⑤同時申し込みの希望

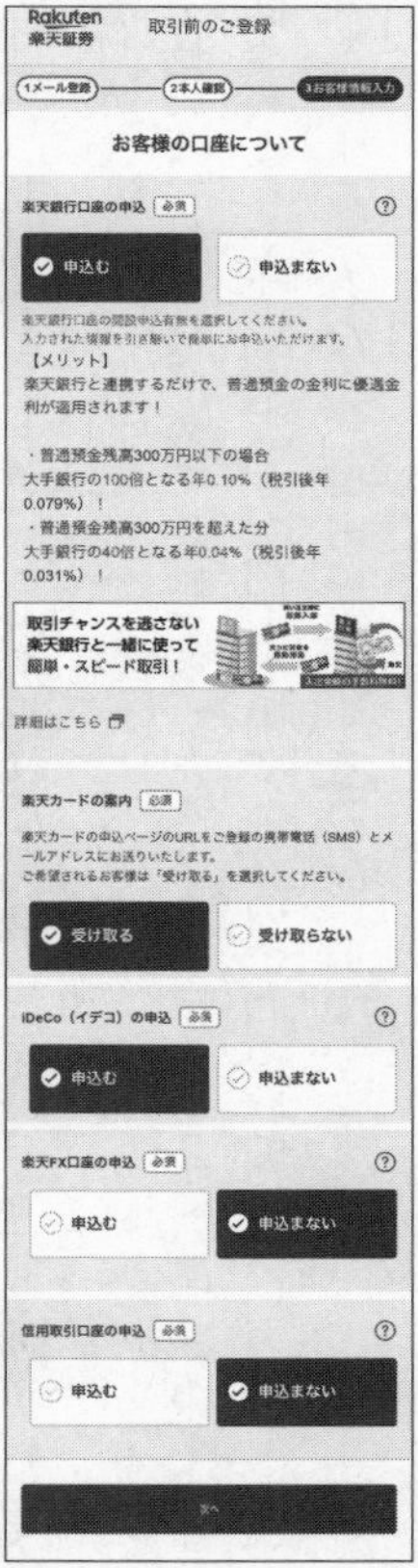

Rakuten 楽天証券
取引前のご登録
1メール登録
2本人確認
3お客様情報入力
お客様の口座について
楽天銀行口座の申込 必須
申込む
申込まない
楽天銀行口座の開設申込有無を選択してください。
入力された情報を引き継いで簡単にお申込いただけます。
【メリット】
楽天銀行と連携するだけで、普通預金の金利に優遇金利が適用されます！
・普通預金残高300万円以下の場合
大手銀行の100倍となる年0.10%（税引後年0.079%）！
・普通預金残高300万円を超えた分
大手銀行の40倍となる年0.04%（税引後年0.031%）！
取引チャンスを逃さない
楽天銀行と一緒に使って
簡単・スピード取引！
詳細はこちら
楽天カードの案内 必須
楽天カードの申込ページのURLをご登録の携帯電話（SMS）とメールアドレスにお送りいたします。
ご希望されるお客様は「受け取る」を選択してください。
受け取る
受け取らない
iDeCo（イデコ）の申込 必須
申込む
申込まない
楽天FX口座の申込 必須
申込む
申込まない
信用取引口座の申込 必須
申込む
申込まない
次へ

同時に楽天銀行や楽天カード、iDeCo、楽天FXなどに申し込む場合はチェックを入れる。

⑥利用口座を選択

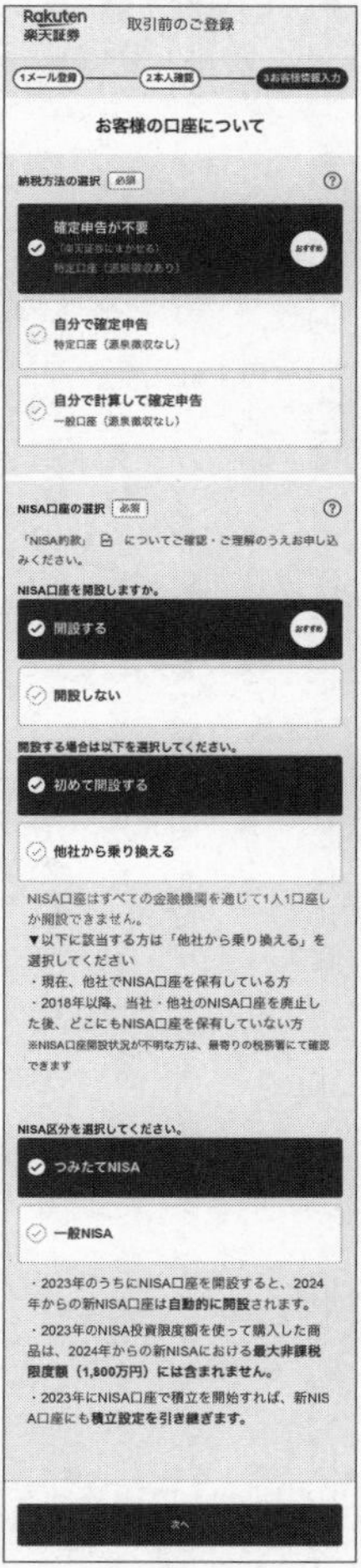

Rakuten 楽天証券
取引前のご登録
1メール登録
2本人確認
3お客様情報入力
お客様の口座について
納税方法の選択 必須
確定申告が不要
（楽天証券におまかせる）
特定口座（源泉徴収あり）
おすすめ
自分で確定申告
特定口座（源泉徴収なし）
自分で計算して確定申告
一般口座（源泉徴収なし）
NISA口座の選択 必須
「NISA約款」についてご確認・ご理解のうえお申し込みください。
NISA口座を開設しますか。
開設する
おすすめ
開設しない
開設する場合は以下を選択してください。
初めて開設する
他社から乗り換える
NISA口座はすべての金融機関を通じて1人1口座しか開設できません。
▼以下に該当する方は「他社から乗り換える」を選択してください
・現在、他社でNISA口座を保有している方
・2018年以降、当社・他社のNISA口座を廃止した後、どこにもNISA口座を保有していない方
※NISA口座開設状況が不明な方は、最寄りの税務署にて確認できます
NISA区分を選択してください。
つみたてNISA
一般NISA
・2023年のうちにNISA口座を開設すると、2024年からの新NISA口座は自動的に開設されます。
・2023年のNISA投資限度額を使って購入した商品は、2024年からの新NISAにおける最大非課税限度額（1,800万円）には含まれません。
・2023年にNISA口座で積立を開始すれば、新NISA口座にも積立設定を引き継ぎます。
次へ

納税方法は、迷ったら特定口座（源泉徴収なし）を選択。必ず「つみたてNISA」口座を選択。→

⑦アカウント設定

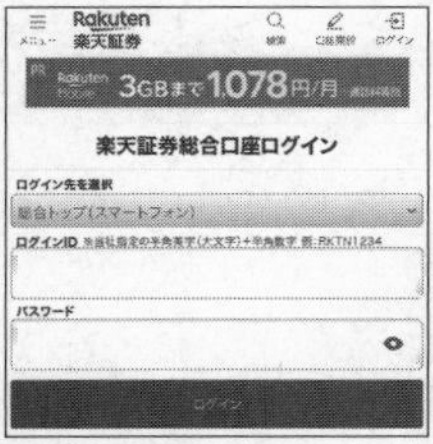

メニュー
Rakuten 楽天証券
検索
ログイン
3GBまで1078円/月
楽天証券総合口座ログイン
ログイン先を選択
総合トップ（スマートフォン）
ログインID
パスワード
ログイン

証券総合口座のログイン情報に関するお知らせが届く。税務署の審査が完了するまでに、パスワードや暗証番号の設定をしておこう。

出典：楽天証券

さて、ここでは楽天証券をモデルとして、初めて口座開設をするところから順番に説明していきます。画面はもちろん異なりますが、手順としてはSBI証券もほとんど同じですので安心してください。

まずは、NISAの口座を開設します。

ここでは年齢層を問わず利用者の多い、スマホでの登録手順をご紹介します［図表‐23］。新規登録の場合、スマホを使えば、タイムラグもなく一気に登録することができるので、断然お勧めです。もちろん、パソコンでも登録は可能ですが、郵送でアカウントが発行されるのを待たなければならないため、注意が必要です。

毎月の引き落とし日を設定するときは迷うかもしれません。よく、いい日と悪い日があって、月初が上がるとか下がるとか言われたりもしますが、それを研究した人によれば、結局意味がないという結論に至ったそうです。

長く見れば、月末に締めて評価が落ちたらまた次は上がるという説もありますが、あまり関係ないようです。そうした記事も出ているので間違いではないのかもしれませんが、あまり気にすることなく、自由に設定するのがいいでしょう。

実際にお金が落ちるのは最短で当日から可能で、積立頻度や積立日の設定により、少し先になることもあります。

つみたて投資で買える主な対象商品

インデックスファンドは、「株式を対象とするインデックスファンド」と「バランス型ファンド（株式と債券、国内と海外などを含む）」に分けられます。本書では主に投資対象資産として「株式」に絞り、投資対象地域として「国内」「全世界」「海外」の3分類を扱うことにします。なお、「海外」には、「米国」「先進国」「新興国」の三つが含まれますので、株式を扱うインデックスファンドのうち、地域区分として、先に挙げた「全世界」「米国」「先進国」「新興国」「国内」の五つのカテゴリーを中心に話を進めていきます。

全世界であれ、米国であれ、それぞれに使われる指標に沿った銘柄がまんべんなく入っているのがインデックスファンドです。

インデックスファンドを買うときは、大元のインデックスがどう作られているかを確認することが大事です。先に述べたＭＳＣＩ ＡＣＷＩやＦＴＳＥ ＧＡＣＩなどのインデックスは、いずれも投資対象国や対象銘柄が多く、市場カバー率が高いものとなっています。このようにターゲットとなる銘柄が広く分散しているインデックスに連動するファンドを私はお勧めしています。

つみたて投資対象商品のほとんどはインデックスファンドですが、よく知られる「ひふみプラス」のように、ごくわずかながらアクティブファンドは存在します。

投資信託を持っている間、信託報酬という手数料がずっとかかってきます。インデックスファンドの場合はこれが0・1～0・5パーセント程度とかなり安くなっています。販売手数料だけでなく、信託報酬にも気をつけておいた方がいいでしょう。

なお、MSCI指数の例として、日本を含む先進国23カ国で構成されているMSCI・ワールド・インデックスがあります。また、ここから日本を除いたものがMSCI　コクサイ・インデックスです。さらに新興国24カ国で構成されるMSCIエマージング・マーケット・インデックスがあります。これとMSCI・ワールド・インデックスの二つを合わせたものがMSCI　ACWIです。いずれもつみたて投資で買える商品のベンチマークとなっています。

前述したように、同じつみたて投資枠で買える商品に、アクティブファンドというものがあります。これは、プロのファンドマネージャーが投資商品を選定して、例えばハイテク企業を中心に入れたりしますし、さらにＡＩ、３Ｄプリンター、半導体のようにテーマに偏りがあるものや、一定の指数にレバレッジをかけたものもあります。特定の指数を上回る成果を目指して運用するというのがインデックスファンドとの大きな違いです。

アクティブファンドを作るときというのは、ファンドマネージャーが個々の会社を訪ねて社長と直接話をし、社長の人間性や考え方を把握した上で、企業規模などを鑑みて調節するといった方法が取られるようです。そういった人件費や調査費といったコストが運用コストに反映されるため、つみたて投資で買える商品でも年間０・９〜１・３パーセントほどの信託報酬がかかってくることになります。

米国にはＮＡＳＤＡＱというハイテク企業を中心とした株式市場があります。

米国市場上場株全約３千銘柄の時価総額平均をポイント数で表した「ＮＡＳＤＡＱ総合指数」がよく知られていますが、同じＮＡＳＤＡＱの中にも時価総額上位１００銘柄の加重平均から算出した「ＮＡＳＤＡＱ１００」という指数があります。楽天証券では、もともと銘柄数が少ない中、このインデックスへの連動を目指す「ｅＭＡＸＩＳ　ＮＡＳＤＡＱ１００インデックス」という商品もありますが、「楽天レバレッジＮＡＳＤＡＱ‐１００」という商品は、インデックスの値動きの２倍のリターンを目指すアクティブファンドです。ファンドマネージャーの思惑で半導体やＳＤＧｓといったテーマ設定をして偏りを持たせているため、その業界が伸びるときには非常に伸びますが、また逆もあるというように、善し悪しが大きく出てしまうのです。

エネルギー系が今来ているとか、金融系が来ているというようにループする傾向にあり、どの循環がいいかという動きはある程度読み取ることができます。それが時代によってどう変化し、どんな状況になろうとも、安定や成長という視点を重視していい状態にしようというのが、インデックスファンドの基本姿勢なのです。

インデックスファンドのお勧め商品を把握する

インデックスファンドを買う準備が整ったところで、カテゴリーごとのお勧め商品を挙げておきましょう［図表 - 24］。

注目すべきインデックスファンドには、先に述べたように、五つのカテゴリーが存在します。ただ、五つのカテゴリーとはいっても、公募投資信託の数は国内株式だけで１００近く、海外株式で８００以上、全世界（内外株式）で６００以上もあり、具体的な商品はどれを買ったらいいのか、非常に迷うところかと思います。

[図表-24] インデックスファンドのお勧め商品

国内株式
eMAXIS Slim 国内株式（TOPIX）
ニッセイ TOPIX インデックスファンド
三井住友・DCつみたてNISA・日本株インデックスファンド

先進国株式
eMAXIS Slim 先進国株式インデックス
ニッセイ外国株式インデックスファンド
たわらノーロード先進国株式

米国株式
eMAXIS Slim 米国株式（S&P500）
楽天・全米株式インデックス・ファンド
SBI・V・S&P500インデックス・ファンド

新興国株式
eMAXIS Slim 新興国株式インデックス
SBI・新興国株式インデックス・ファンド
たわらノーロード新興国株式

全世界株式
eMAXIS Slim 全世界株式（オール・カントリー）
楽天・全世界株式インデックス・ファンド
SBI・V 全世界株式インデックス・ファンド

そこで、まずは三菱ＵＦＪ国際投信の「ｅＭＡＸＩＳ　Ｓｌｉｍシリーズ」を挙げておきます。たいていどこの証券会社でも扱っている商品で、信託報酬などのコストが安く、ホームページも真剣に作られていてわかりやすいのでお勧めです。

全世界も米国も、対象インデックスはまったく同じなのに、「ＳＢＩ・Ｖ」のシリーズは信託報酬などのコストが安いのが強みです。ＳＢＩ証券でしか買えないため、これから口座をＳＢＩ証券にしようかという人に向けて作られているようです。すでにＳＢＩ証券に口座を持っている人は、素直にこのＶシリーズがいいと思いますが、別に口座を持っている人はわざわざ変えることまではしなくてもいいでしょう。

ファンドを買う際に、もう一つの基準値として見ておきたいのが、「純資産総額」です。これは、ファンドの目論見書の中の「運用実績」に書かれています。何百億円、何千億円買われているというところで、純資産総額が大きいということは繰上償還される可能性が低く、信頼度を測る一つの目安となります。

ちなみに、繰上償還とは、信託期間が無期限の投資信託が運用を終了することや、当初期限が決まっていた投資信託が終了日を待つことなく運用が終わることを言います。基準価額や純資産総額の小さい投資信託は、このリスクがあると考えてもいいでしょう。

「楽天・全米株式」や「楽天・全世界株式」というのは２０１７年にできた定番商品で、コストは「ＳＢＩ・Ｖ」にはやや負けるものの、信頼できるシリーズです。また、楽天、ＳＢＩと書かれているものは、それぞれの証券会社でしか買えないようにも見えますが、先の「ＳＢＩ・Ｖ」を除いては、どちらでも買うことができます。

全世界株式型インデックスファンドを買おう

ここではつみたて投資の第一段階として、楽天証券で全世界型のインデックスファンドを買う流れを追っていきます。ここでは、先に挙げたｅＭＡＸＩＳ Ｓｌｉｍシリーズの中の「ｅＭＡＸＩＳ Ｓｌｉｍ全世界株式（オール・カントリー）」を買うことにします。

「全世界」を選ぶメリットとしては、投資先を全世界に広く分散しているため、特定の企業や国が原因となって起こり得る損失を被る可能性が低いということが言えます。また、名称が全世界とはいえ、全世界をくまなく網羅しているわけではなく、米国をはじめとした成長性の高い先進国企業の株式が主に組み込まれています。コロナの影響を受けた株式市場にあっても、比較的安定した伸びを見せています。

さて、楽天証券のつみたて投資枠ページに行ったら、「ファンドを探す」から商品名を検索します。ファンドは自分で一から選べる他、診断に答えて探すことも、お勧めの中から選ぶこともできます。

注文画面に移ったら決済方法を決めます。証券会社の口座、銀行口座の他、クレジットカード決済も選べます。楽天証券の場合、楽天キャッシュと楽天カードとの連携をしておくのがお勧めです。なお、クレジットカードをはじめとしたポイント制度などは随時変化する可能性があるので、買うときにはよく確かめておくことが必要です。

購入するファンドが決まったら、つみたてのタイミングや金額を決めます。タイミングはいろいろ選べますが、ここでは「毎月」とし、毎月1日から28日までのうち、「積立指定日」を適宜設定します。次につみたて金額を入力します。複数のファンドを選んだ場合はそれぞれの配分を決めることができますが、この段階では「全世界」だけを買うことにとどめておきます。

ここで出てくる「分配金コース」とは投資信託で得られた分配金の利益をお金で受け取る「受取型」にするか、再び投資に回す「再投資型」にするかという選択を行うものです。決算によって生じた分配金が自動的に再投資に回って投資額が増えやすいことから、ここでは迷わず「再投資型」を選択しましょう。

一通り設定が終わったら、「交付目論見書」を確認します。ただ、初心者にはなかなか読み解くのは難しいので、次の三つのポイントだけをざっくりと確認しておくことにとどめておきます。

①　ファンドの目的……どんな商品に投資し、どれくらいの成果を目指しているか
②　投資リスク……元本割れの要因となる価格や為替《かわせ》、金利の変動リスクの程度
③　手数料……投資信託の購入以外にかかる信託報酬などのコストの程度

交付目論見書とは、投資信託説明書とも呼ばれ、投資判断に必要な重要事項を説明した書類です。これはファンドを販売する前に投資家に渡すことが義務づけられています。目論見書の確認ができたら、注文内容に間違いがないかをよく確認した上で、積立設定を完了します。

なお、買付金額については、また後で買い足すこともできますので、このタイミングで100パーセント決める必要はありません。余裕資金からの投資を前提に、気持ちを落ちつけてゆっくり取り組んでいきましょう。

「全世界」をベースにスパイスを利かせる方法

前述したように、少額のつみたてだったら、「全世界」1本でも十分でしょう。これから新規で毎月5千～1万円くらいずつ少額でつみたてていくのはいいことです。

途中からは、投資の面白味も出てくる可能性があります。全世界の中に含まれている企業や国を見て、米国や先進国など個別の国や地域を買ってみようという気持ちになるかもしれません。

途中で興味が湧いてくると、「これからは米国だと思う」とか「やはり新興国多めかも」というように、自分の意向が出てくるはずです。それを買っていくことで、1本に集中させずある程度分散させておくことができ、リスクマネジメントにもなります。加えて、組み合わせに自分の色を出すことができ、投資の面白さを感じることができると思います。

同じ金額だけ買っているのに、一方はあまり伸びないけれど、もう一方は伸びてきたというようなことも起こります。その場合、どれか一つだけを売るという選択もできるので、受け取り時期のタイミングも分散させることができます。

「全世界」はすでに1商品で分散投資されていますが、複数の商品を保有することが私の考える本当の分散です。商品によって値動きの仕方が違ってくるので、分散しておく方が安心です。

「全世界」の中身は、実に６割ほどが米国株です。ですので、「全世界」の値動きは米国株式の値動きにかなり近いと言っていいでしょう。ただ、「全世界」と「米国」では、リスクとリターンの振れ幅が大きく違う点に注目した方がいいと思います。

この10年ほどの値動きを見ると、「全世界」（ＭＳＣＩ　ＡＣＷＩ）は約４倍に伸びていますが、「米国」（Ｓ＆Ｐ５００）は６倍近くまで伸びています。同じような値動きをしているとしても上昇率が違っています。無難な形で数字を取るのであれば「全世界」を選ぶことになりますし、少しリスクはあってもリターンを重視するのであれば、やはり「米国」ということになります。

どちらがいいとは一概に言えないため、それよりも、その人の目指す方向性で決めていくことになります。

第5章　運用後のメンテナンスとおトクな受け取り方

つみたて投資の運用実績を見る

つみたて投資は〝ほったらかし〟でいいと第3章でお伝えしましたが、それでも最低限のメンテナンスは必要です。特に初期の頃は月1回程度、最低でも年に1回程度は運用状況を確認しておくのがいいと思います。実際にやってみると、難しいことは何もないとわかるはずです。

楽天証券のサイトを参考に、運用実績の見方を確認しておきましょう［図表‐25］。総合口座にログインするだけで資産合計が出てきますが、ページの上の方にある「NISA」のタブをクリックします。すると、「資産合計」や「資産推移」の他、「積立期間」や「積立設定」「直近の購入・売却」といったフレームが出てきます。「資産合計」では時価評価額と損益が表示されます。「保有商品一覧」から「ポートフォリオ」を開き、さらに「損益グラフ」を選択すると、投資信託をはじめとする商品ごとの損益グラフや構成比率など、運用実績が細かくわかります。

つみたての掛金を変更する

掛金を変更するなどの操作も「積立設定」のフレームから行います［図表‐26］。

[図表-25]運用実績を見る

つみたての状況を一目で確認

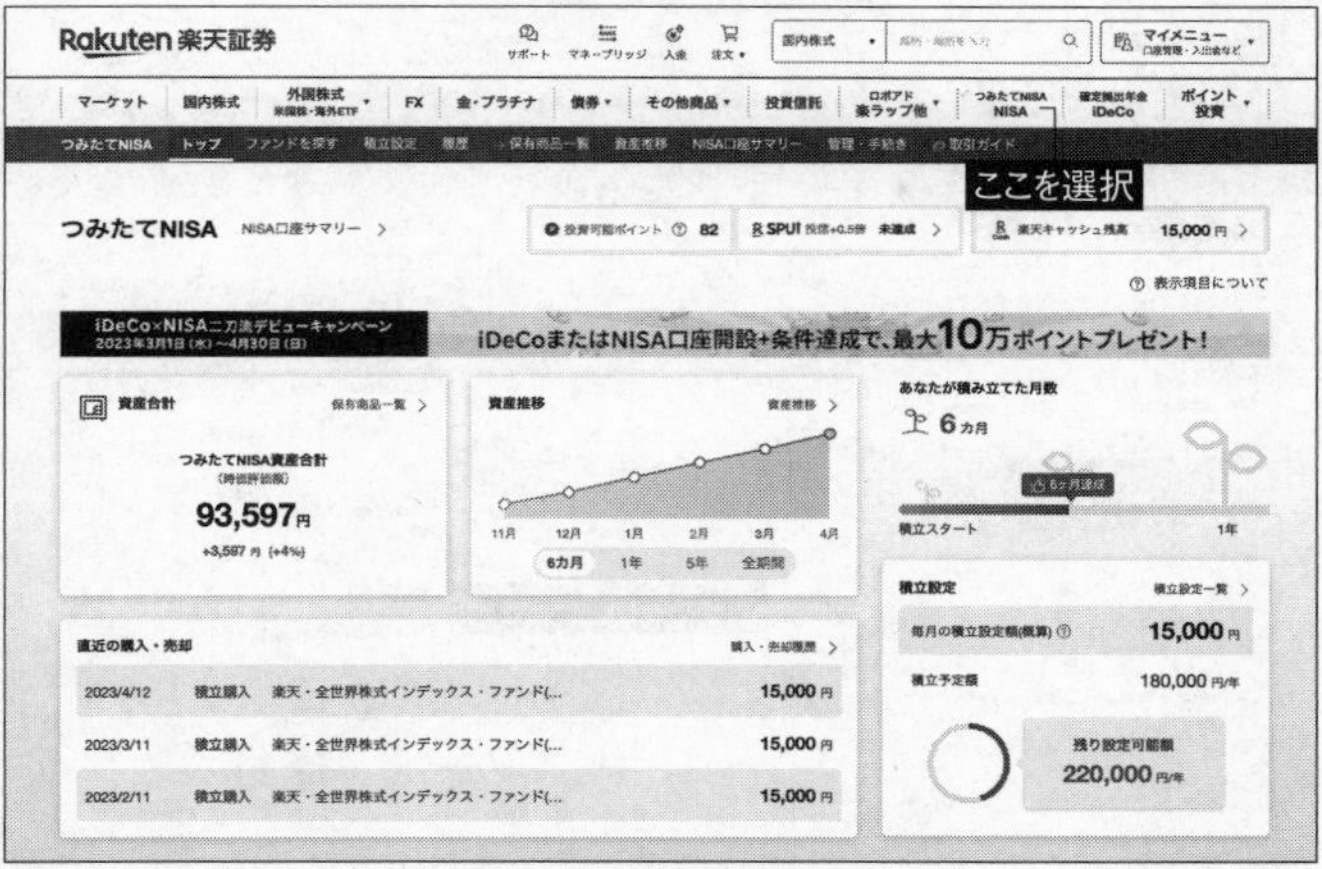

ポートフォリオを把握する損益グラフ

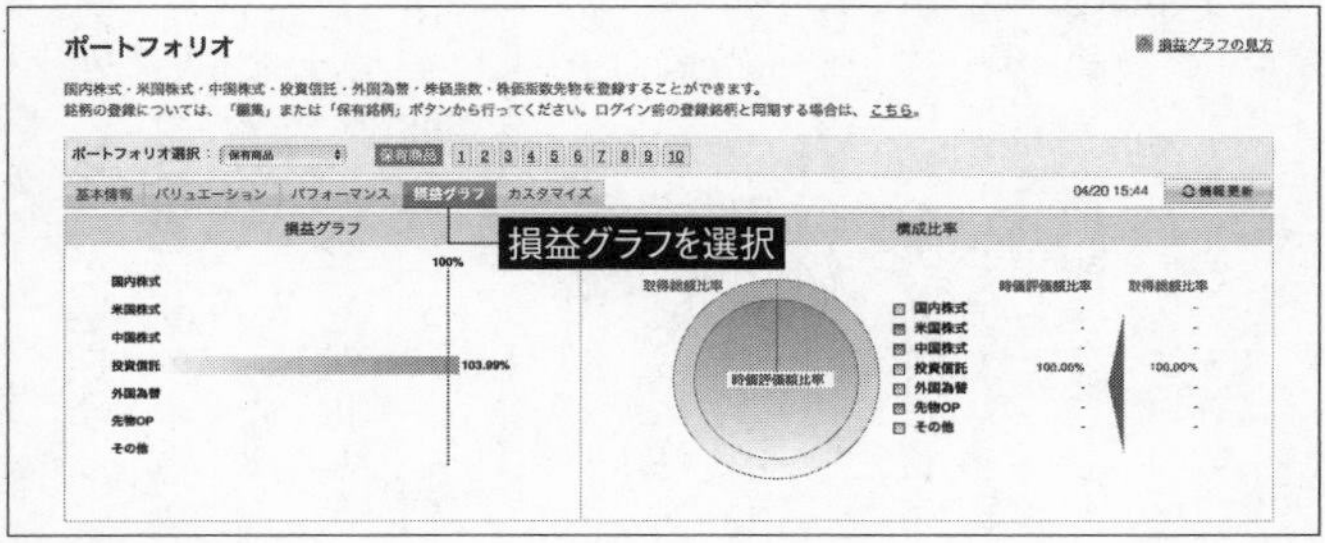

出典：楽天証券

[図表-26] 掛金を変更する

変更したい商品を選択

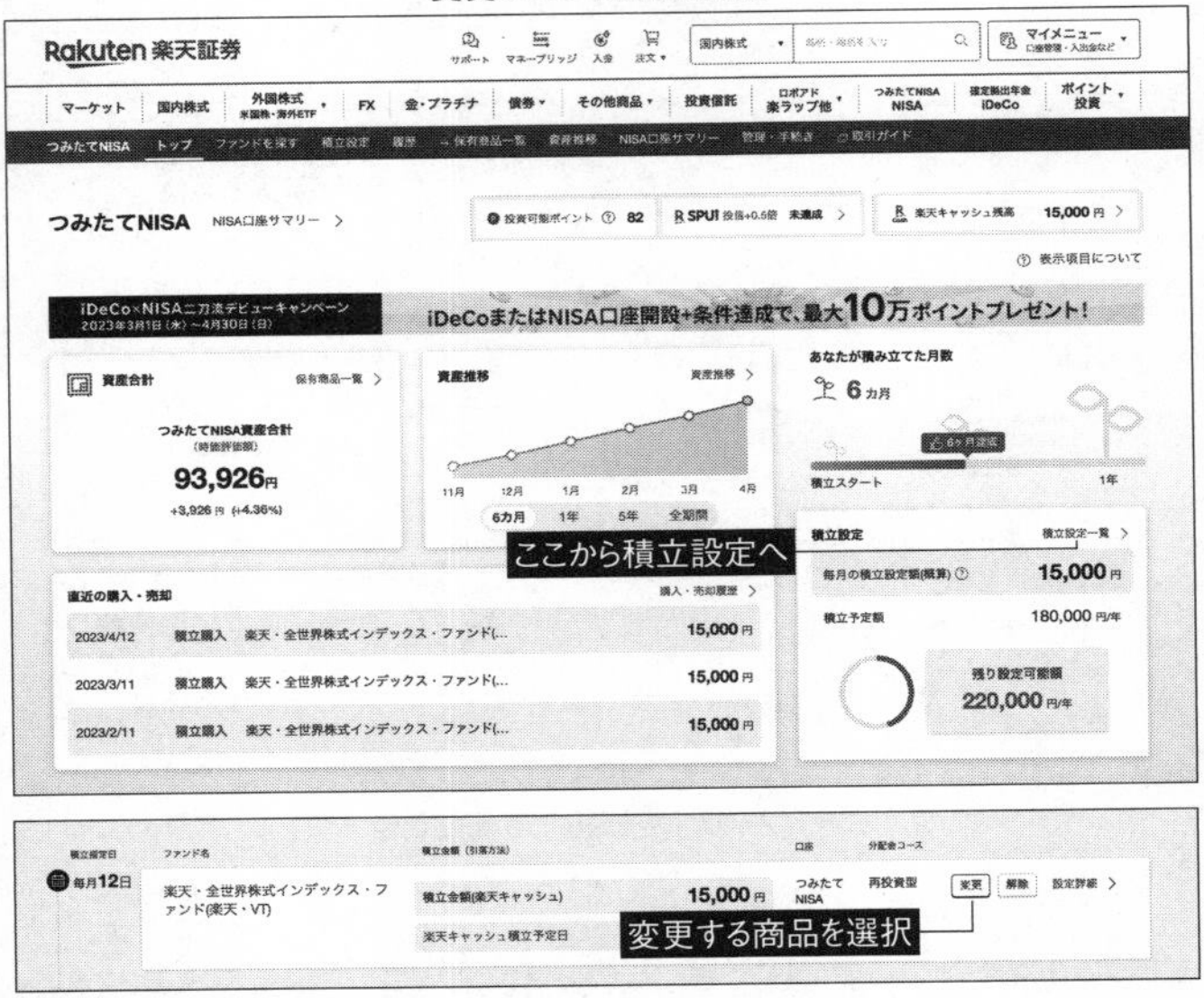

「積立設定一覧」を選択すると、保有している投資信託の一覧が表示されますので、つみたて額を変更したい商品名を選択します。変更画面に移ったら、「積立金額」に金額を入力します。掛金の変更は100円以上、1円単位で行えます。最後に注文内容を確認し、取引暗証番号を入力すれば終了です。

　年次の途中でつみたて投資を始めた場合は、毎月のつみたて額を上限枠まで増額することも可能です。

金額を入力し、掛金を変更

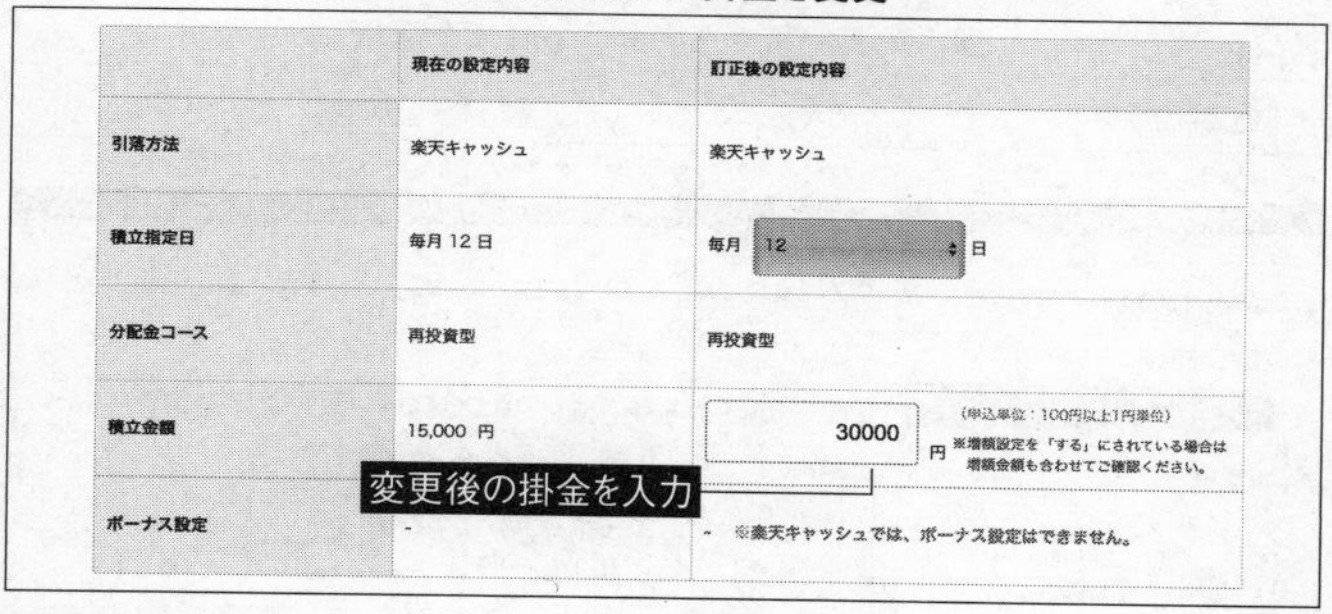

	現在の設定内容	訂正後の設定内容
引落方法	楽天キャッシュ	楽天キャッシュ
積立指定日	毎月 12 日	毎月 12 日
分配金コース	再投資型	再投資型
積立金額	15,000 円	30000 円 （申込単位：100円以上1円単位） ※増額設定を「する」にされている場合は増額金額も合わせてご確認ください。
ボーナス設定	-	- ※楽天キャッシュでは、ボーナス設定はできません。

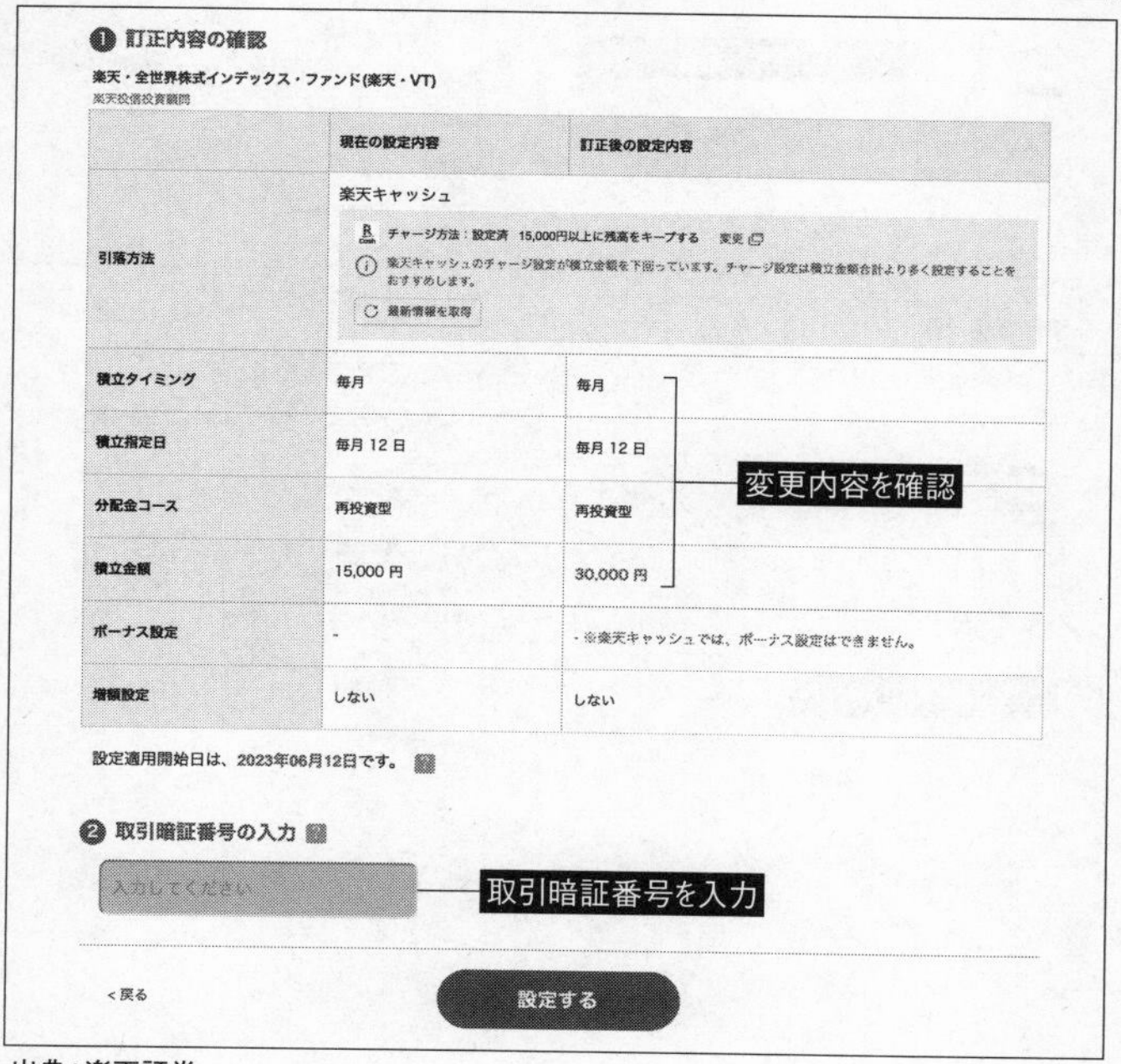

❶ 訂正内容の確認

楽天・全世界株式インデックス・ファンド(楽天・VT)
楽天投信投資顧問

	現在の設定内容	訂正後の設定内容
引落方法	楽天キャッシュ チャージ方法：設定済　15,000円以上に残高をキープする　変更 楽天キャッシュのチャージ設定が積立金額を下回っています。チャージ設定は積立金額合計より多く設定することをおすすめします。 最新情報を取得	
積立タイミング	毎月	毎月
積立指定日	毎月 12 日	毎月 12 日
分配金コース	再投資型	再投資型
積立金額	15,000 円	30,000 円
ボーナス設定	-	- ※楽天キャッシュでは、ボーナス設定はできません。
増額設定	しない	しない

設定適用開始日は、2023年06月12日です。

❷ 取引暗証番号の入力

入力してください

< 戻る　　設定する

出典：楽天証券

[図表-27]売りたいときは
保有商品一覧から売却する商品を選択

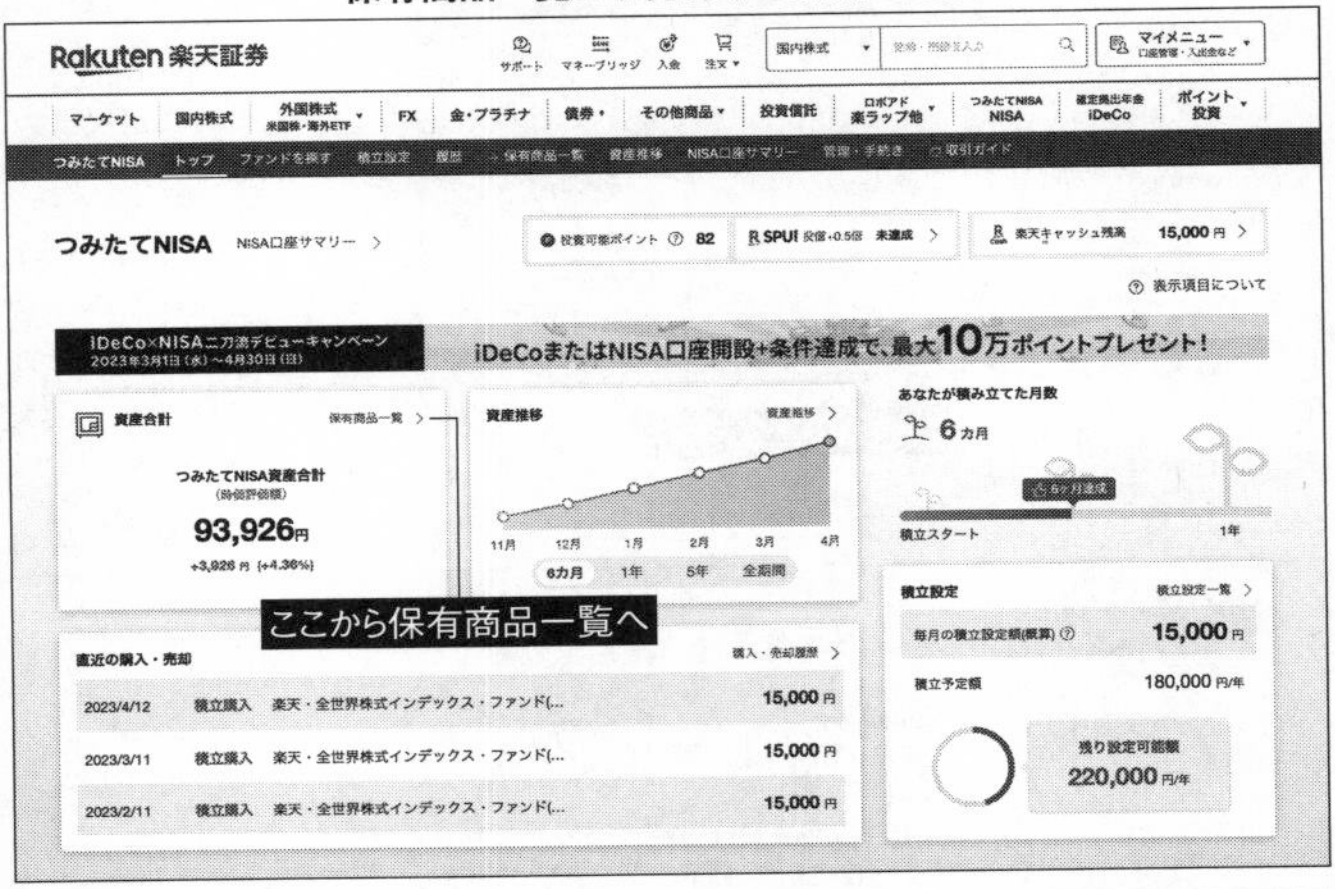

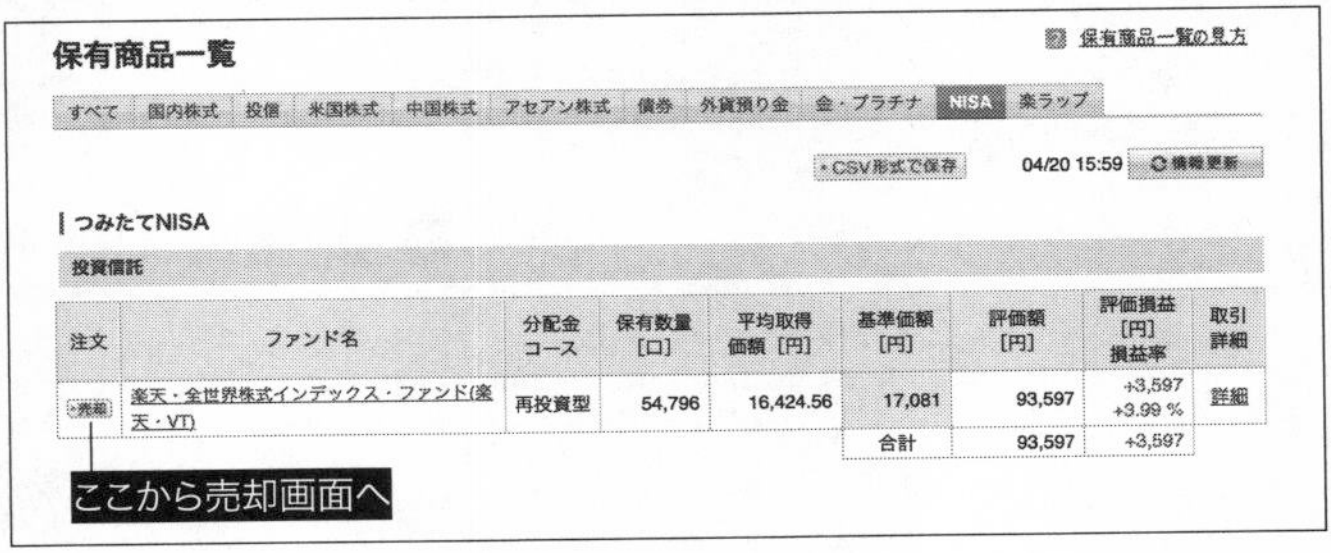

売却する金額や口数を決める

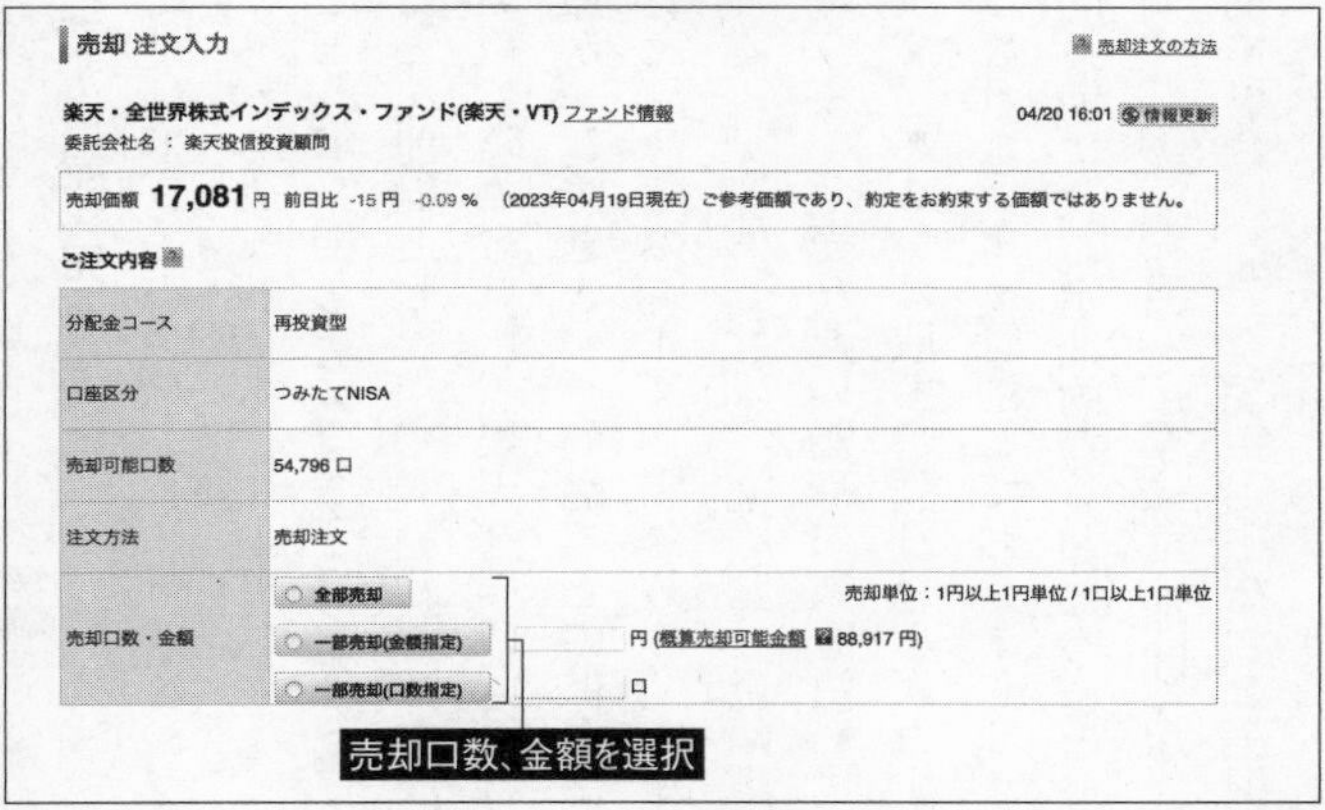
売却 注文入力
売却注文の方法
楽天・全世界株式インデックス・ファンド(楽天・VT) ファンド情報
04/20 16:01 情報更新
委託会社名 ： 楽天投信投資顧問
売却価額 17,081 円 前日比 -15 円 -0.09 % (2023年04月19日現在) ご参考価額であり、約定をお約束する価額ではありません。
ご注文内容
分配金コース 再投資型
口座区分 つみたてNISA
売却可能口数 54,796 口
注文方法 売却注文
売却口数・金額
全部売却
一部売却(金額指定)
一部売却(口数指定)
売却単位：1円以上1円単位 / 1口以上1口単位
円 (概算売却可能金額 88,917 円)
口
売却口数、金額を選択

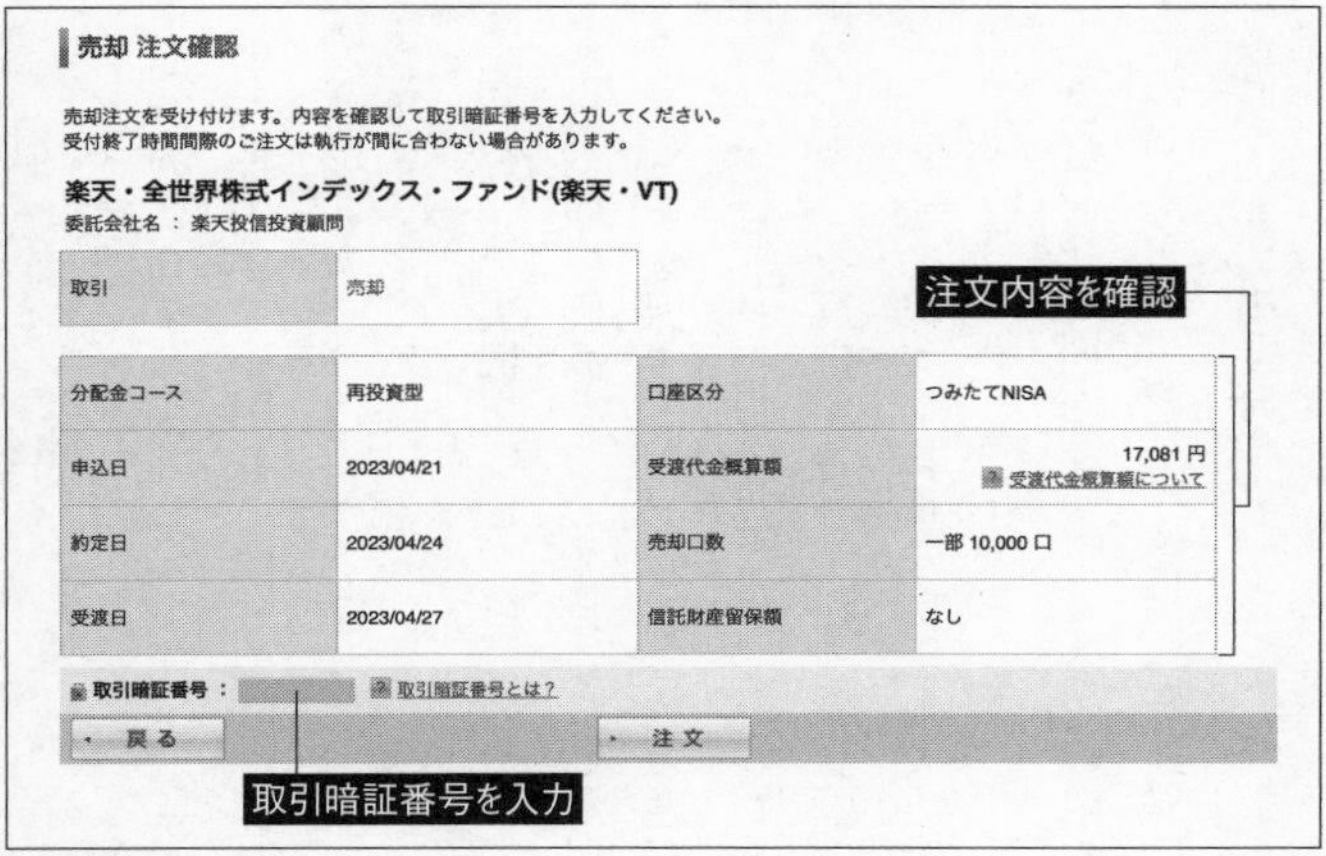
売却 注文確認
売却注文を受け付けます。内容を確認して取引暗証番号を入力してください。
受付終了時間間際のご注文は執行が間に合わない場合があります。
楽天・全世界株式インデックス・ファンド(楽天・VT)
委託会社名 ： 楽天投信投資顧問
取引 売却
注文内容を確認
分配金コース 再投資型
口座区分 つみたてNISA
申込日 2023/04/21
受渡代金概算額 17,081 円
受渡代金概算額について
約定日 2023/04/24
売却口数 一部 10,000 口
受渡日 2023/04/27
信託財産留保額 なし
取引暗証番号 ：
取引暗証番号とは？
戻る
注 文
取引暗証番号を入力

出典：楽天証券

つみたてた資産を売るときは

つみたてＮＩＳＡがスタートしたのは、ごく最近の２０１８年のことです。24年の制度改革前からつみたて投資をしている人でも、特別な理由がない限り、当分の間は保有資産を売ること（取り崩し）を考えることなくつみたてを継続していくことになるでしょう。

そのことを前提とした上で、売却方法を簡単に紹介しておきます。

運用実績の際にも見た、楽天証券の「保有商品一覧」を選択すると、自分の持っている資産情報が一覧できます。商品ごとの保有個数や平均取得価額もここで見ることが可能です。保有商品一覧の「注文」欄にある「売却」ボタンを選択すると、売却口数を選ぶ画面に移ります。「全部売却」「一部売却（金額指定）」「一部売却（口数指定）」の三つから選ぶことになります。売りたい額や口数を決めて確認ボタンを選択すると、注文確認画面が表示されます。ここでは取引暗証番号を入力することになるので、口座を開設したときの番号4桁は忘れないよう管理しておきましょう［図表‐27］。

比較的長期に及ぶ定期的な売却については、「投資信託定期売却サービス」の申し込みが必要です。「定額法」「定率法」「期間指定法」の3タイプがあり、後ほど述べる「定率」で取り崩す場合は、ここで「定率法」を選択することになります。

NISA口座の資産の取り崩し方

ＮＩＳＡでつみたてた資産はいつから受け取ったらいいのか、取り崩し開始時期を気にする人も多いと思います。しかし、お金が「必要な時期」に「必要な分だけ」取り崩すことが基本です。そのため、今から決めることではないことを先にお断りしておきます。

働くことをやめる、もしくは収入が明らかに減ってくる時期の２～３年前に家計を見て、整え、年間での支出必要額を見据えておくのがよいと思います。

ときどき見かけるのは、２千万円の資産ができたら、２千万円全額を売却して現金を手にしようとする人です。せっかく貯蓄から投資にゆっくり移動させているのですから、取り崩しもゆっくりと行う意識が必要です。それによって、残っているお金をさらに運用することもできます。

結論を先に言うと、取り崩す場合は「定率」がお勧めです。

定額でつみたてをするのがつみたて投資ですが、運用の成績は、当然ながら年によって変わってきます。売却も同様に、運用成績がいいときも悪いときも一定の割合、つまり４パーセントや３パーセントといった定率で取り崩していくのがいいでしょう。

定率の方が、定額よりも資産を長持ちさせることになります。しかし定率だと、マーケットがよくないときなどはどうしても欲しい金額を下回ることがあります。

しかし、いいときや悪いときを含め、ここでは定率が原則ですが、「定率とは何パーセントか」という問題が出てきます。必要とする金額にもよりますが、取り崩す率は、資産総額が少ない人ほどどうしても高くなってしまうのです。

例えば、普段は4パーセントの取り崩しで済むところ、市場が下がっているようなときであれば、5〜6パーセント分くらいの金額を取り崩さなくてはならない場合もあります。逆に、2〜3パーセントで必要な金額が確保できる場合もあるということです。

取り崩しの方法は、NISAだけを単体で考えるのではなく、第2章でお伝えした退職金や年金の受け取り方とも関係してきます。退職金や年金をどういう方法で受け取るかによって、NISA資産をどう取り崩すかも自《おの》ずと決まってくると思います。基本的には、公的年金を後ろ倒しにすることを考えておくとよいでしょう。

定率と定額の取り崩しを比較する

三井住友DSアセットマネジメントという資産運用会社のサイトに「人生100年時代

の資産設計（https://www.smd-am.co.jp/learning/100years_simulator/index.html）」というシミュレーターがあります。これを使って、定額と定率のシミュレーションを行ってみましょう。

65歳から取り崩しを始めることとして、資産額としては２千万円、運用利回りは３パーセントと設定します。定額（隔月）で20万円とした場合と定率（年率）６パーセントとした場合で取り崩しの状態を比較してみましょう。受取額は定額、定率とも隔月の数字です［図表‐28］。

定額の曲線は70歳手前で下向きになり、88歳くらいで資産ゼロとなります。一方、定率の方は下がっているものの、運用が利いているため、減り方がゆるやかな曲線を描いています。１２０歳を過ぎても資産が残っている状態です。ただし、定率の場合は徐々に受取額が少なくなっていきます。この場合で88歳時点で1カ月当たりの受取額は５万円と、当初の半額までに落ちています。

もう一つは、定額で取り崩す金額（隔月）を15万円とやや少なめに設定した場合です。その他の条件は変えていません。これによると、定額で取り崩した場合の残りの資産が89歳頃まで定率の場合を上回っている状態となります［図表‐29］。

このシミュレーターでは定率を最大６パーセントまでしか設定できません。定率の方が

[図表-28]定率6%と定額20万円による取り崩しの違い

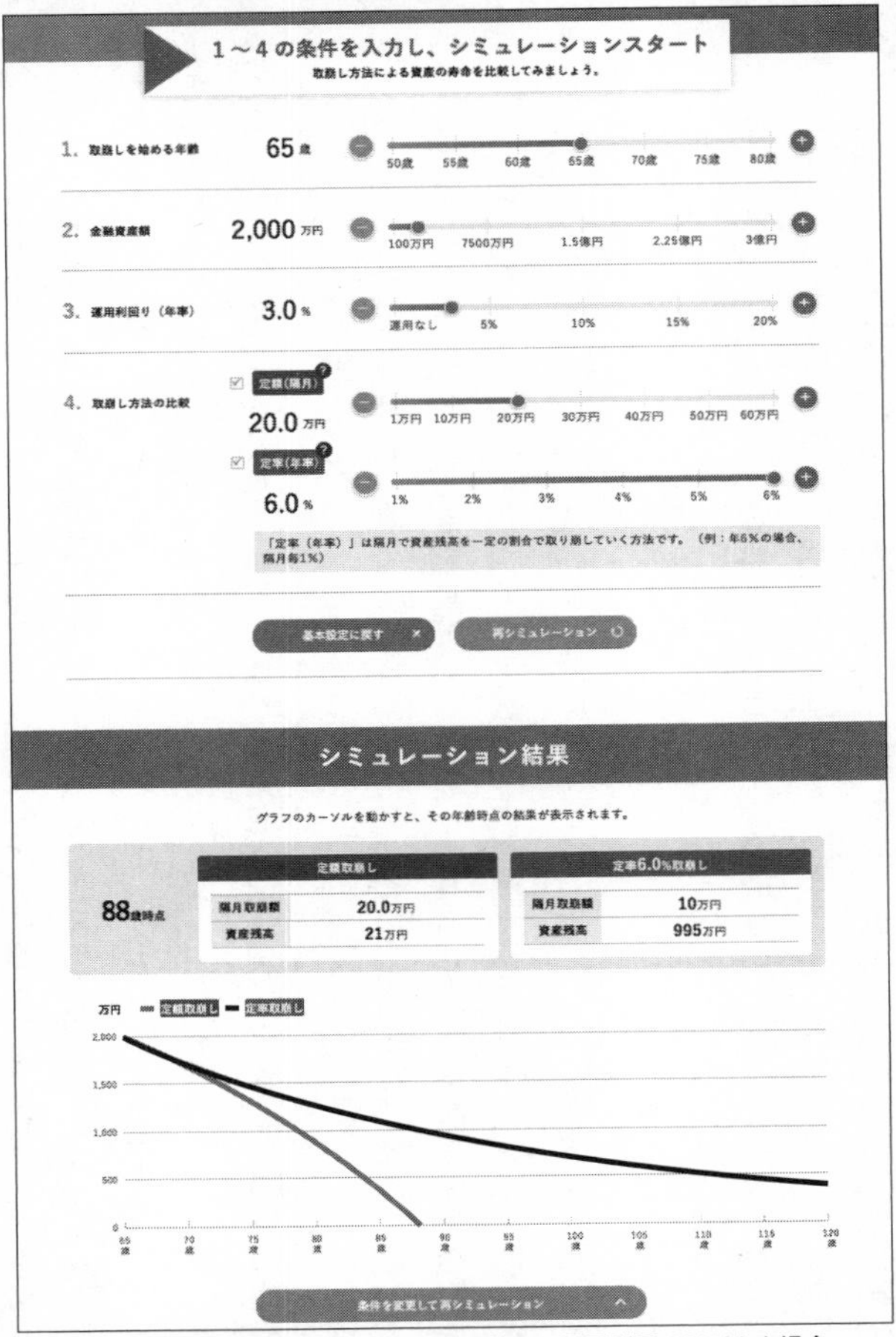

※資産額2,000万円の取り崩しを65歳から始め、運用利回り3%とした場合。
※定額は隔月、定率は年率。
出典：三井住友DSアセットマネジメント「人生100年時代の資産設計」

[図表-29] 定率6%と定額15万円による取り崩しの違い

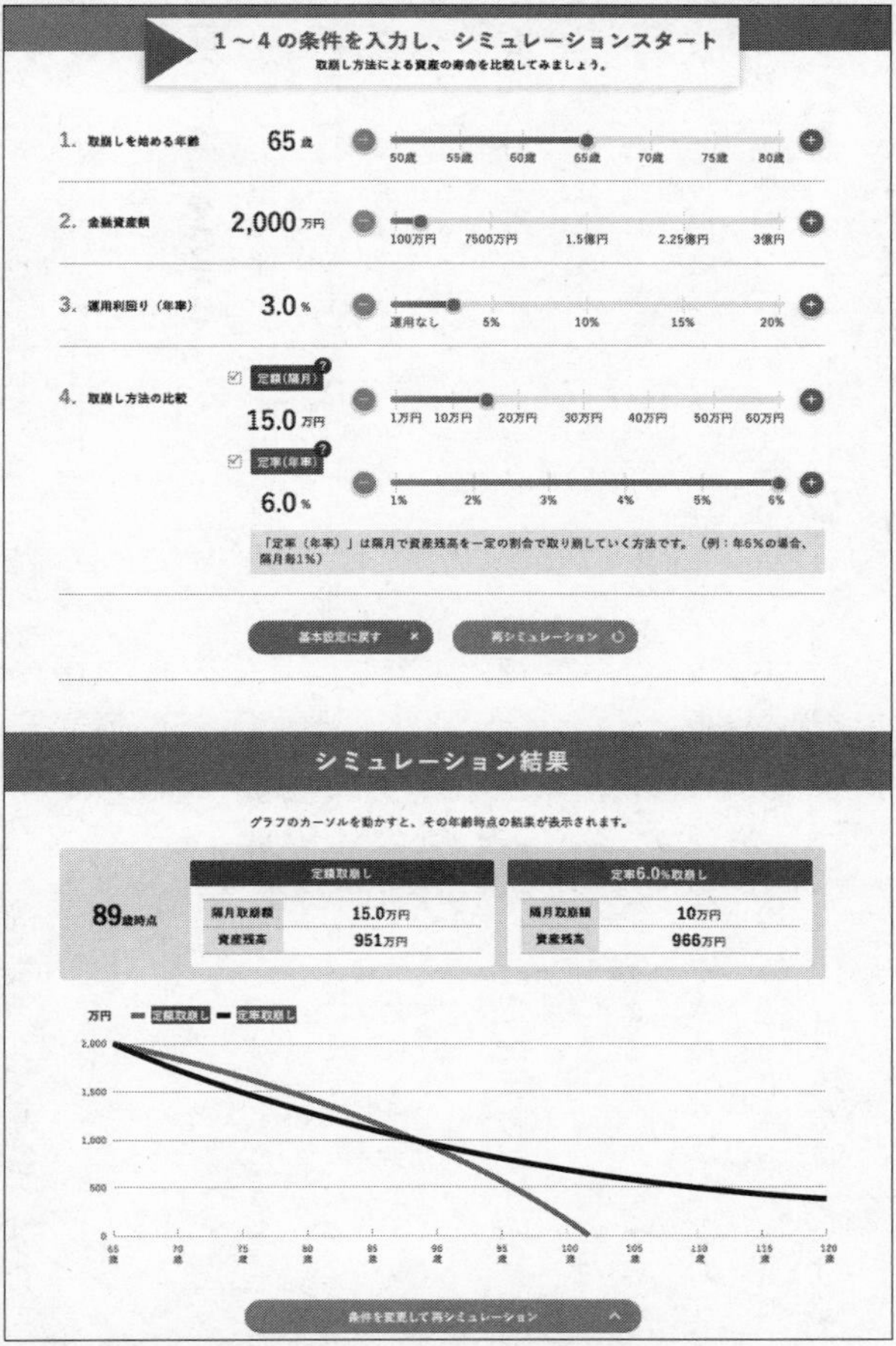

※資産額2,000万円の取り崩しを65歳から始め、運用利回り3%とした場合。
※定額は隔月、定率は年率。
出典：三井住友DSアセットマネジメント「人生100年時代の資産設計」

長期にわたって資産を維持できることがわかりますが、特に後半の受取額で生活設計が可能かどうかという点には注意しなくてはなりません。

資産の目減りを考える

つみたて投資で作った資産の「目減り」について、少し考えておきましょう。

目減りには「売却して減っていく」形と「価値が落ちていく」という二つのパターンがあります。いずれにしても、こうした資産の目減りはできるだけ防いでおきたいものです。そのためにはどんな手を打っておいたらいいのでしょうか。

少し先の話になるかもしれませんが、売却というのはつみたて投資を取り崩し、現金化するということでもあります。

つみたて投資はできるだけ長期運用するに越したことはありませんが、売却する場面はいつでも起こり得ることです。生活の上で現金が必要になってきた場合や、家のリフォームなどライフプランに沿って大きく売却する必要が出てくるかもしれません。売却した結果減ることは、マーケットがいい悪いに関係ありません。全体の母数が減るわけですから、これればかりはやむを得ないことです。

そこで、少しでも目減りを防ぐためには定率で売却することを前提として、今年は成績がいいから多く売ろうとか、成績が悪いから少なくという形にはしない方がいいでしょう。

次に、価値が落ちていく場合というのも確かにあると言えます。しかしこれは、価値が下がっていても「売らなければ基本的には負けではない」という部分があると思います。逆を言えば、売らなければ含み益のままで利益確定しないわけですから、上がっていても「お金にしない限りは妄想」だということも言えます。

実質的にはマーケットが悪かったから減ったということになるわけですが、上がっているときには全然違った風景が見えるということでもあるので、長い視点で考えたら、マーケットの評価はあまり気にしなくてもいいのではと思います。

先ほどは、生活費が必要になって取り崩すという前提で話しましたが、非常に少ない額しか取り崩さないという人もいます。

ｉＤｅＣｏも、受給開始年齢が引き上げられました。65歳のときに市場が悪かったら75歳になるまで最長10年間は受け取らないという方法も取れるようになっています。預けておく間も運用されますので、余裕があるなら３～４年くらい待つということも考えられます。

全世界株式型インデックスファンドは米国を中心に先進国と新興国で構成されています。買っている商品が全世界型1本だけだった場合、例えば中国がすごくいいからこれだけを売りたいと思っても、「新興国」でワンパッケージになっているのでできません。「全世界」の他に「米国」「先進国」「新興国」というように別々の商品を買っている場合は、マーケットの状態を見て、「新興国」だけを売ることも可能です。そのためには、地域別に棲《す》み分けをするなどして複数の商品を保有しておくことが必要です。

取り崩しをする場合、一度に取り崩してしまっては丸々損になってしまいます。本当に必要になったとしても売却するのは最低限の額に抑えること、そしてできるだけ少額で長期間に分割していくのが鉄則です。多少取り崩したとしても、元本が生涯非課税投資枠を下回っている限りは、またつみたて投資で運用を再開することができます。

入口は簡単なのですが、出口付近ではまだ伸びるという可能性、または落ちる可能性もあり、またいろいろな回収方法もあって難しいところです。

例えば、債券に切り替えるという人もいます。株式で持っていた人が利益を確定させるには現金化でもいいのですが、現金だとインフレの影響を受けてしまうので、値動きの少ない債券に切り替えるわけです。インフレとの戦いはなおも続くことになりますが、そこに防御する意味合いが加わってきます。

運用を続けながら上手に取り崩すには

あとはどれだけ生きるかということにもなるわけですが、まだ生活に余裕があるなら運用をベースにしておいた方がいいことは確かです。

60~70歳くらいだったら、ほぼ間違いなく運用を続けた方がいいでしょう。60~70歳くらいだったら、一部、利益確定の動きを強めてもいいとは思います。60~70歳くらいの人が利益確定させるかというと、ここ2~3年での落ちを気にしてまだ10~20年は様子を見ようとなることが多いようです。

若い人でも、子どもの学費で急に必要になったというときに、必要な分だけ売却するという手はあります。ただ、そのときにインデックスが低調という場合もあるので、なるべく長い目で見ておくのがよいでしょう。

運用をベースとした上で、定年期の人は、やはり受け取り方についてもある程度は視野に入れておくことが肝要です。

つみたて投資の他に、退職金や企業年金、iDeCoなど、もらうものが人によって違うため、全体を網羅した受け取り方を考えるのはかなり難しいものがあります。また、社会保険料や税金などの関係をどう考慮したらいいかということになると、やはりプロに相談することをお勧めします。

ここでは、シンプルにつみたて投資に絞った受け取り方を考えてみましょう。

これまでに貯めた資産を取り崩す場合、できるだけ長持ちさせながら、というのが基本的な考え方になります。

投資によってできた資産が2千万円あったとします。毎月不足する10万円の生活費を受け取る場合、何年くらい持つでしょうか。ここで再び、マネーシミュレーター「みらい電卓」(https://www.nomura.co.jp/hajimete/simulation/)の登場です。「毎月使う」から「何年でなくなる?」を選び、それぞれの数値を入力します。利回りは仮に5パーセントと設定します。すると、「34年7カ月」という計算結果が出ます。仮に毎月20万円ずつ使うとしたら、「10年9カ月」でなくなることがわかります〔図表-30〕。

これは「定額」で受け取る場合の計算です。

しかし、つみたて投資に関しては、「定額」でつみたて、「定率」で受け取るというのが原則です。これは、安値で買って、高値で売ろうということと同じです。

[図表-30]2,000万円はいつなくなるか

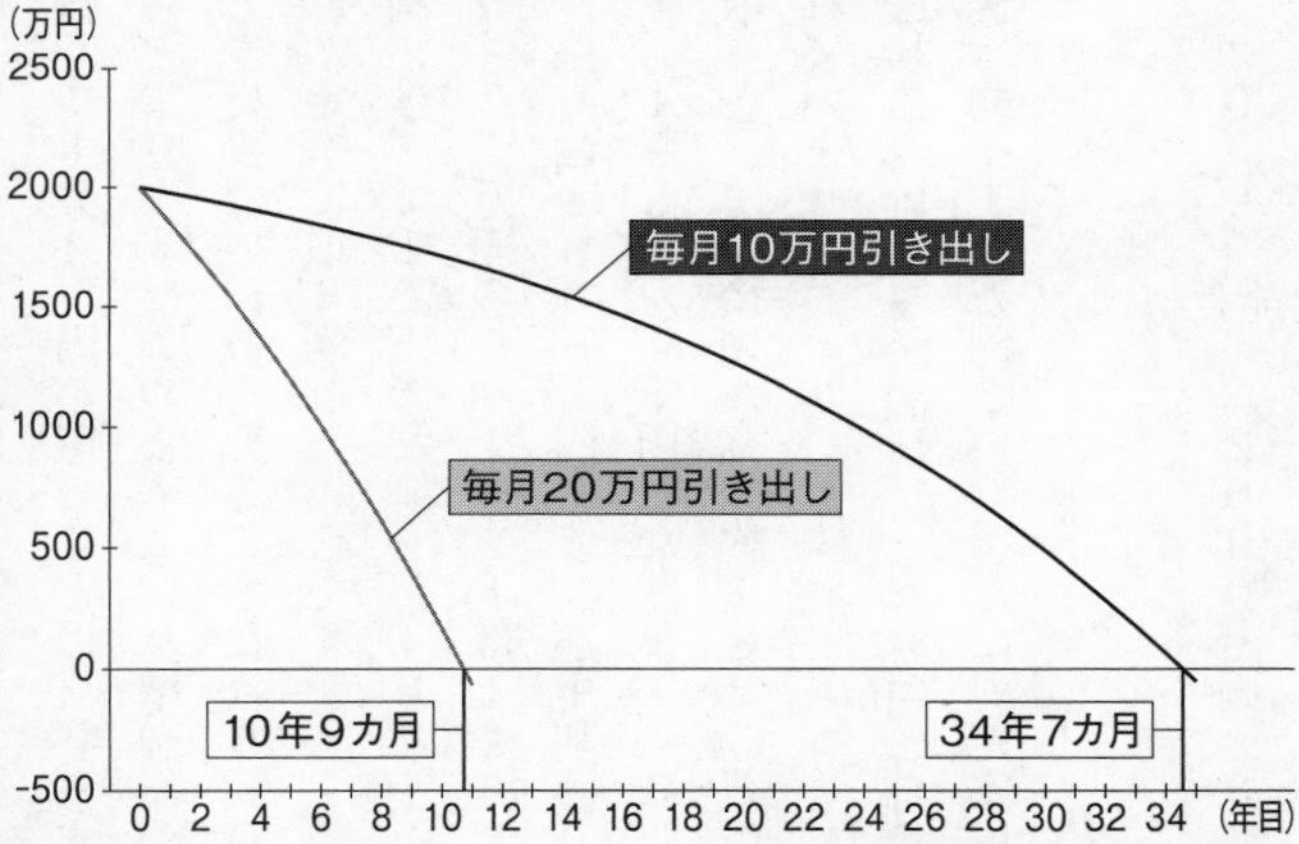

※想定利回り5%とした場合。
出典：野村證券「みらい電卓」より作成

定額で取り崩すと、ファンドの基準価額が大きく下がったときに「安値」で売ってしまうことになります。

あるファンドの基準価額を仮に２万円とし、これを１口としましょう。１２０万円を得るためには60口を売る計算になりますが、翌年に基準価額が下落して１万円になった場合、同じ１２０万円を得るためには倍の１２０口を売らなくてはなりません。このように同じ金額を取り崩すのに、より多くの口数を売る必要が出てきてしまうというわけです。これが「定額」で取り崩した場合です。

これとは反対に、「定率」で売る場合、基準価額が２万円のケースでは例えば60口

を売って120万円を得ることになりますが、1万円のときは30口を売って30万円を得ることにとどまります。このように、基準価額が高いときほど多くの口数を売り、基準価額が低いときは少ない口数を売ることになり、資産の減少が抑制されるということになります。

これが定率で取り崩した場合です。

例えば、2千万円の資産を毎年6パーセントの「定率」で取り崩す設定をしたとしましょう。2千万円の6パーセントは120万円ですから、2千万円から120万円を受け取った残りは1880万円です。運用利回りを仮に3パーセントとして、残りを運用しておくと、1936万4千円となります。そしてこの6パーセントに当たる約116万円を受け取ると、1年後の残高は約1820万円となります。なお、手数料などはどれも考慮に入れていません。

最初に受け取る金額は120万円（月額10万円）でしたが、1年後は約116万円、2年後は約112万円というように、定率に設定すると当然ながら徐々に下がっていくことになります。

2000万円－（2000万円×6%受取）＝1880万円

・1年後　1880万円＋（1880万円×3％運用）＝1936万4000円

1936万4000円－（1936万4000円×6％受取）＝1820万2160円

・2年後　1820万2160円＋（1820万2160円×3％運用）＝1874万8225円

1874万8225円－（1874万8225円×6％受取）＝1762万3331円

次は「定額」の場合です。年額120万円（月額10万円）の定額で取り崩したとしましょう。運用利回りは3パーセントのままです［図表‐31］。

2000万円－120万円受取＝1880万円

・1年後　1880万円＋（1880万円×3％運用）＝1936万4000円

1936万4000円－120万円受取＝1816万4000円

・2年後　1816万4000円＋（1816万4000円×3％運用）＝1870万

８９２０円

１８７０万８９２０円－１２０万円受取＝１７５０万８９２０円

定率では当然ながら受取額が逓減していくわけですが、わずか2年後の残高に11万円以上の差がついてしまいました。

最後に、取り崩す率と運用利回りの数値を変えた「定率」で見てみましょう。

同じく2千万円の資産を毎年3パーセントの定率で取り崩す設定です。2千万円の3パーセント（60万円）を受け取った残りが１９４０万円となります。運用利回りを4パーセントとして残りを運用すると、２０１７万6千円。そしてこの3パーセントの約60万5千円を受け取ると、1年後の残高は約１９５７万円となります。

２０００万円－（２０００万円×３％受取）＝１９４０万円

・１年後　１９４０万円＋（１９４０万円×４％運用）＝２０１７万６０００円

２０１７万６０００円－（２０１７万６０００円×３％受取）＝１９５７万７２０円

[図表-31] 2,000万円を定率6%と定額120万円で取り崩したときの残金

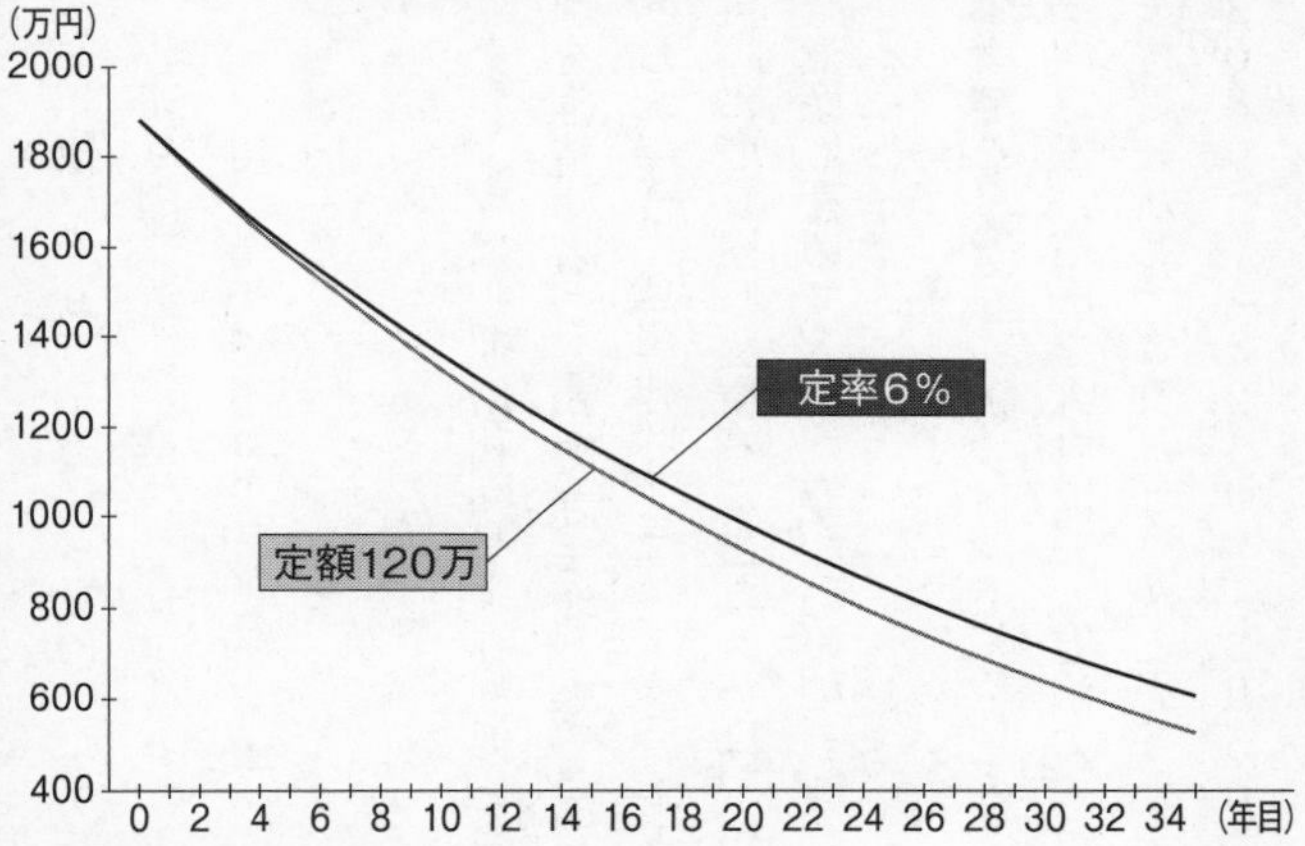

※想定利回り3%とした場合。

[図表-32] 2,000万円を定率(3%、4%、5%)で取り崩したときの残金

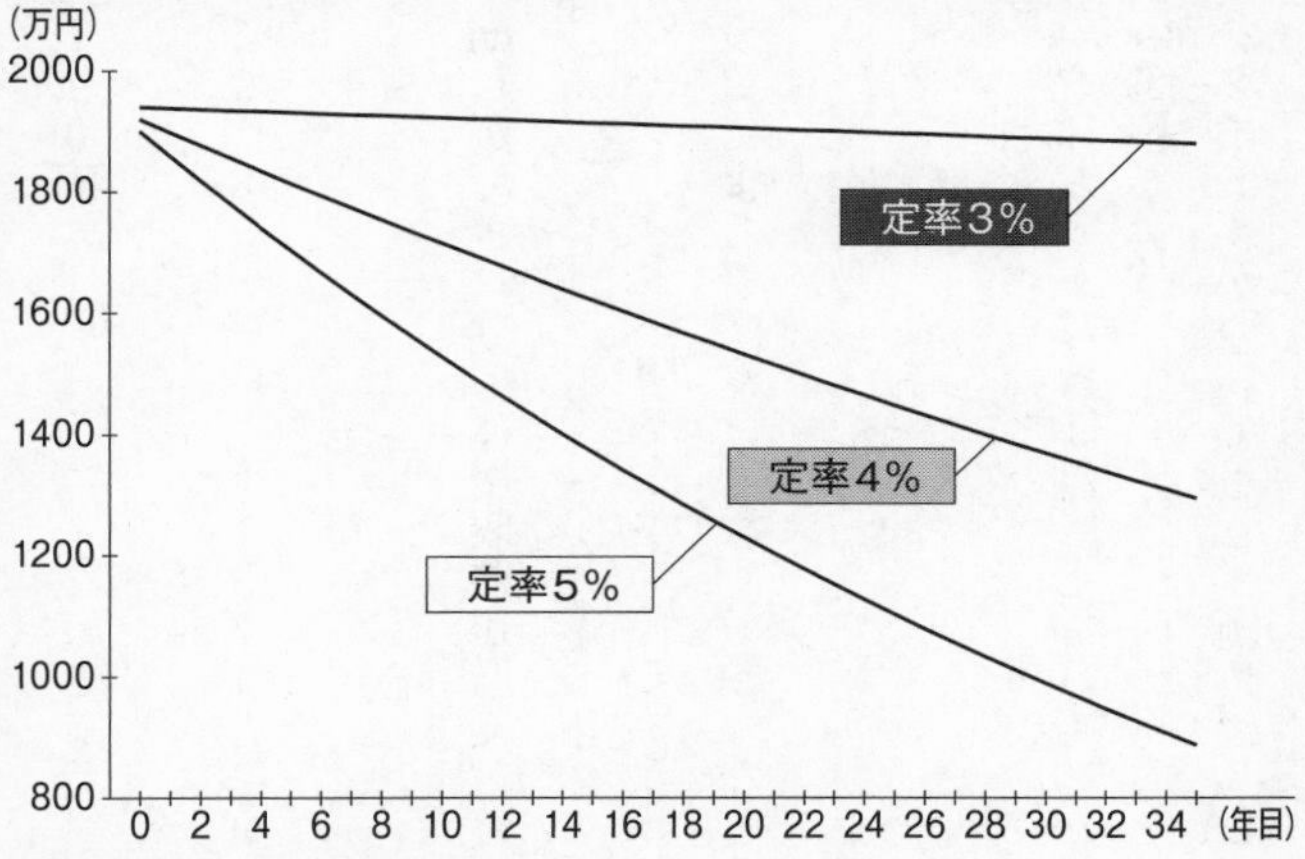

※想定利回り3%とした場合。

・2年後　1957万720円＋（1957万720円×4％運用）＝2035万3549円
2035万3549円－（2035万3549円×3％受取）＝1974万2943円

以上のように、運用利回りよりも低い率で取り崩しができれば、運用収益が増え、資産価値を維持することができます。参考までに、定率3パターン（3〜5パーセント）で取り崩した場合（運用利回りを3パーセントとして）のイメージを［図表‐32］にしました。

実際に取り崩しをするに当たっては、つみたて投資による資産だけでなく、預金などの安全資産も含めて考えた方がいいでしょう。

債券を入れるタイプのファンドについて

ファンドに債券を入れていく方法の一つとして「ターゲットイヤー型」というものがあります。しかし、これはどうかと思うところの多い商品です。

「2030」や「2040」、「2050」といったタイトルがついており、例えば「20

40」は、2040年のゴールに向けて運用を始めるファンドであることを表しています。

運用当初は比較的ハイリスク・ハイリターンの国内株式や外国株式の投資割合が高く、徐々に比較的低リスクの国内債券や外国債券を入れる割合が増え、40年のターゲットイヤーになると国内債券を中心にした運用に変わるという特徴があります。

配分の調整は自動でやってくれますが、手数料が割高という点の他、そもそもそんなに早くから債券に調整すべきなのかという疑問が残ります。無難と言えば無難ですが、中途半端な商品という印象です。

6～7年ほど前は画期的な商品とされ、DCをやる人は、これを一本やっておけば見直しをしなくても老後に向けて債券が多くなっていくと言われていました。しかし、ファンドの手数料が安くなり、2018年につみたてNISAが登場してからというもの、この話をする人はいなくなりました。

さらに、「リスクコントロール型」というファンドもあります。ターゲットイヤー型が時間の経過に伴って資産配分を変更するのに対し、これは、そのときの相場変動に合わせて資産配分を変更するものです。普段は株と債券にバランス投資をしますが、株価が下落したら低リスクの債券を多めに入れるといった運用を行います。

例えば「リスクコントロール世界資産分散ファンド」という商品は、国内外の8資産（国内債券、為替《かわせ》ヘッジ先進国債券、新興国債券、国内株式、先進国株式、新興国株式、国内リート、先進国リート）に分散投資を行い、ポートフォリオの変動リスクが年率2パーセント程度となるよう配分比率を決定するというものです。

この他、債券を入れていくファンドに、「バランス型」という商品があります。これは固定配分型と言われ、国内債券や外国債券を入れる割合が最初から最後まで固定されているものです。

つみたて投資で買えるバランス型の中に、例えば「フィデリティ・ターゲット・デート・ファンド（ベーシック）２０４０」という商品があります。複数の投資信託証券を通じ、国内株式（当初資産配分12パーセント）、先進国海外株式（同57パーセント）、新興国株式（同12パーセント）、世界債券（同19パーセント）、国内短期債券・短期金融商品等に分散投資を行うものです。しかし、内容を見ると、配分比が変動しているため、ターゲットイヤー型に属する商品だと考えられます。

バランス型は名前からは一見よさそうに聞こえますが、成績はあまりよくないようです。

つみたて投資を含むＮＩＳＡが対象としている商品には債券だけを扱うものがないので、

債券を買うのであれば、債券を含むバランス型を選択するか、他の口座でやっていくしかありません。その場合、つみたて投資とは別に、課税口座や特定口座で債券が含まれるファンドを少し入れていくなどの調整をすることで、その人の資産バランスは整えられるということになります。

債券は株式の利益確定後に買う

債券は基本的に伸びの見られない商品です。単純化して言うと、「マーケットが悪くなった。株式が落ちた」というときに、落ちを和らげるクッション役くらいのものだと思っていればいいでしょう。

理論上、株が上がっているときに債券は落ち、債券がいいときには株は下がるとされています。債券は株の反対にあるものと言ったりもしますが、ゼロ金利政策下ではあまりそれが効いてきません。

では、債券が必要になる状況を考えてみましょう。

非課税枠で伸ばすところは、基本的には株式１００パーセントできちんとリターンを出すことを狙っていきます。ここまで調子よく上がってきたものの、時期が出口付近になってから落ちるかもしれません。例えば、「75歳が近づいてきた。そろそろ使うぞ」といったときに、株式を売って少し債券に切り替える。それで利益確定させるということになります。これが債券の役割です。もちろんその分の伸びは悪くなりますが、落ちを抑えておく手段としては使えるものだと思います。

残りの資産がまだ伸びるところも享受したいので、最初は10~20パーセントくらいの割合で株式から債券に移行していって、最大でも半分までいけば十分でしょう。新しいお金で債券を買うということではなくて、あくまで株式を売ったお金で債券を買うという流れがいいと思います。

このように債券を出口付近で使うのはいいと思いますが、今、1800万円までの生涯非課税投資枠で将来のお金を上手に作っている人に関しては、債券はもはや必要のないものになってしまったのかもしれません。

とはいえ、債券を全否定するわけではありません。資産を使う時期によって取り組むか取り組まないかを分けたほうがいいと思います。

債券にもいろいろと種類はありますが、国債や社債など、日本のものはあまりよくないようです。そこで、投資信託やETFの債券にシフトする方法があります。日本だけでなく、米国債券を買いたいということであれば、例えばＢＮＤやＡＧＧといった米国債券ＥＴＦがあります。

ＢＮＤは「バンガード・米国トータル債券市場ＥＴＦ」といい、ブルームバーグ米国総合浮動調整指数への連動を目指す米国ＥＴＦです。米国の投資適格債券が主な投資対象となっており、安定性が特徴だと言えます。

ＡＧＧは、「ｉシェアーズ・コア米国総合債券市場ＥＴＦ」のティッカー（記号）のことで、ＡＡＡ以上の優良債券に70パーセント以上連動する債権ＥＴＦです。ブラックロックという独立系の資産運用会社が運用しています。

収支状況によっては掛金を減額した上で継続を

投資信託を購入する際の考え方として、「ドルコスト平均法」という方法があります。

これは、先にも述べた「定額」で買うということで、価格が変動する商品を高いときも安いときも一定の金額で、時間を分散させて定期的に購入するということです。お金を出せるときは出す、出せないときは出さないという考え方は、あまりいいことではありません。

今、正社員やパートで働いているから収入はあるけれど、少し休みたいという人もいますし、子どもの大学受験で塾の費用がとてもかかり、支出が増えているという人もいるでしょう。このように、継続が困難な状況になることもあるものです。そういう状況では無理をしないことも大事だと思います。

しかし、そこで完全にやめてしまうのは、大変もったいないことです。当初の金額のまま何が何でも続けようということではなく、購入金額を7割や5割に下げることになっても、できるだけ長期間続けていくことをお勧めします。

途中で勢いを落としてしまうことなく続けられるように、余裕資金の範囲で少額から始めましょうということでもあります。

公的年金や私的年金は老後の大きな収入源であり、重要な生活資金となるわけですが、つみたて投資による運用を主として考えてみてはいかがでしょうか。その場合、年金はなるべく繰り上げ受給にして早めにもらって、一定額でもらった年金の一部や、働いて得られた収入の一部もつみたて投資に入れていきます。

そういった方法を使いながら、つみたて投資を長く続け、金額は多少落ちたとしても、引き続き定額で定期的に購入していってほしいと思います。

第6章
「つみたて投資」から さらに資産を増やすには

NISAの成長投資枠の使い方

2024年から始まる新しいNISAの「つみたて投資枠」は、それだけで生涯投資枠の1800万円を使えるため、もう一つの「成長投資枠」のことにはあまり触れてきませんでした。ここでは成長投資枠の活用の方法を考えてみたいと思います。

成長投資枠を単独で使う場合、年間投資枠の上限は240万円、生涯投資枠としては1200万円で、これは第1章で述べた通りです。

成長投資枠の一番わかりやすい使い方は、投資信託の買い足しでしょう。実際のところ、1800万円という生涯投資枠をつみたて投資だけでフルに使うのはなかなか大変かもしれません。そんなときは、コツコツとつみたて投資を続けながら、退職金などのまとまった余裕資金ができたときなどにスポットで投資信託を買い足すのがいいでしょう。

成長投資枠で買える商品は、株式やファンド、ETFなどが含まれますが、投資信託のうち、「毎月分配型」や「レバレッジ型」、信託期間が20年未満のテーマ型のタイプなどが対象外となっているので安心できます。

ETFを、割安なタイミングで何度かに分けて買うのもお勧めです。

ETFは、インデックスファンドと同様に、指数の動きに連動する運用成果を目指すもので、なおかつ、株と同様に相場の動きを見ながら取引所でリアルタイムに売買ができるのが特徴です。大まかに言えば、株式と投資信託の二つをいいとこ取りにしたような金融商品です。

日本人はタンス預金などでキャッシュが余っているケースも多いので、毎月定額をつみたてていくだけでは物足りない人もいるかもしれません。まとまったお金を投資に回すときに使いたいのが、ＥＴＦです。

つみたて投資はゆっくりコツコツとつみたてていくわけですが、ＥＴＦは自分で自由に買う量とタイミングを設定できます。「貯蓄から投資へ」と現金を早く移動させたいときはもちろん、割安な時期に絞った要領のいい買い方ができるので、自分の意思をしっかりと表現できる場にもなります。

また、ＥＴＦは株式と同様に、収益があれば配当金を受け取ることもできます。

なお、当然ながらＥＴＦにもリスクがあります。価格変動リスク、基準価額との乖離《かいり》リスク、流動性リスク、海外の場合は為替《かわせ》リスクなども考えられます。詳細は証券会社のサイトで商品ごとにしっかり確認しておくことをお勧めします。

ＥＴＦにも全世界や米国などの海外ＥＴＦや、国内ＥＴＦなどのいろいろな種類があり、それぞれの商品ごとに連動する指数も異なります。

なお、個別株については、残念ながら初心者にはまだお勧めできません。もし、初心者が買うのであれば、資産のコア部分に充てるのではなく、サテライト的に資産全体の1割～2割程度にとどめることが肝心です。また、ある程度勉強した上で、好きな会社や応援したい会社の株式を買い、長く保有するのもいいと思います。経験を積んで投資のことがよくわかったら、ぜひ挑戦してみてください。

成長投資枠の話をしましたが、くれぐれも無理はしないようにしましょう。あくまで少額でも、つみたて投資枠でコツコツつみたてていくことが基本となります。

現金と投資の配分を考える

資産を「現金」と「投資信託やETF」で持つ場合の配分についても考えておきましょう。

皆さんのまわりに、「現金3千万円持っています」というように得意げになっている人はいないでしょうか。もしそんな人がいたら、

「あなたは負けている」

と言ってあげましょう。その人は資産配分を考えることに気がつかず、実は残念な結果

となってしまっています。物価高やインフレ下では、現金をいくら持っていてもその価値はどんどん下がっていきます。日本の貯蓄率が他の先進国と比べて高いことも、投資の世界から見たら大きなビハインドの一例と言えるでしょう。

私たちは日本人なので、日本の今後が心配です。だからこそ資金の置き方を考えなくてはなりません。

日本にいる以上、使うのは当然、円です。1カ月の生活費が30万円なら1年分で360万円。これにプラスして、いざというときのために必要となる費用を1千万円と想定して、そういうお金は現金・預金で持っておく必要があります。これをキャッシュポジションと言います。

それ以外の資金は、一気にではなくゆっくり運用して増やしていくというのが理想的な資産の持ち方だと思います。

現金の比率を3割にしようという考え方もあります。この考え方でいくと、3千万円ある人だったら900万円でいいでしょう。しかし、300万円の人は90万円ということになり、これでは足りません。こう見ると、私には現金3割説のよさがあまりがわかりません。

通常考えられる資産形成の方法として、投資信託やETFなどのすべてが落ちているようなことはほぼないとは思いますが、分散して置いておけば、必要なときは個々に現金化することもできるので、非課税保有期間が無期限化し、簿価残高方式で枠の再利用ができる使えるNISAを最優先して使っていくのがいいでしょう。

銀行に3千万円を貯金しても年間で300円しかもらえません。NISAには1800万円の生涯投資枠があるので一度に入れるのは難しいですが、課税口座のファンドに3千万円を入れたとすると、1年後には運用収益として120万円（利回りを5パーセント、税金を20パーセントと想定）が増え、年数が経つごとに、その額がかなりの確率で増えていく可能性があると言えるのです。

世界経済はこの先、どうなる？

つみたて投資を始めることによって、向学心が芽生え、日本や世界の経済の将来に注目するようになるかもしれません。

経済状況を見る上では、まず人口増減が参考になるでしょう。日本の人口は、2008年をピークに下がり始め、21年10月時点で1億2550万人です。48年には1億人を切り、

[図表-33]年齢階級別就業者数の増減率推移

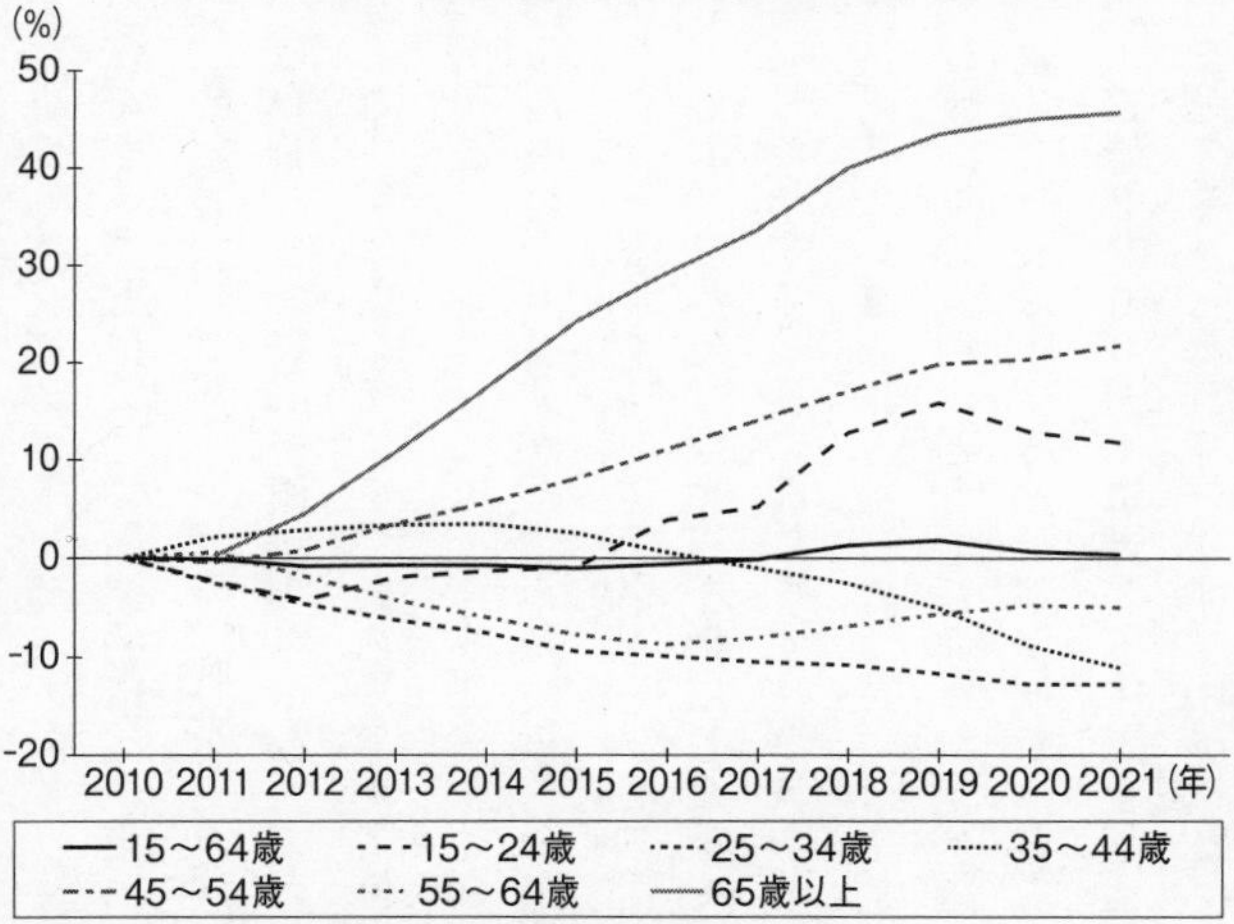

※年齢階級別の増減率(2010年比)累積をグラフ化した。
出典:総務省「労働力調査(基本集計)2021年」(2022年2月)より作成

２１００年には６４００万～４６００万人程度になってしまうという推計が出ています。そして、減少スピードは発表されるたびに早まっているようです。

15～64歳の生産年齢人口についても、１９９５年をピークに減少を続け、２０５０年には５２７５万人（21年の７４５０万人から29・２パーセント減）になると見込まれています。生産年齢人口の減少は、労働力不足や経済規模の縮小などの深刻な問題に直結していると考えられます[図表‐33]。

こうした状況にある日本について、

投資の面から考えてみましょう。

　投資をすることによって最終的には企業にお金が入るので、応援する意味合いも込めて、「投資するなら日本だ」という時代がありました。しかし、先に述べたような人口減に伴い、GDPなどの経済規模が小さくなっていくのは間違いありません。

　そんな中、本書のテーマであるつみたて投資と考え合わせると、どんなことが言えるでしょうか。

　繰り返しになりますが、つみたて投資の選択肢としては、無難なところでは「全世界」となります。最近は米国を重視する人が非常に増えているようですが、少し自分の意向を出したいのであれば、全世界を軸にした上で残りの大半を「米国」にしたり「新興国」を多めにしたりすることになります。これからの投資対象は、リスクヘッジの点からも国内主体で考えないことが主流になっていくと思います。

　では、海外の人口はどうでしょうか。米国は2021年で約3億3200万人、50年には3億8千万人に伸びると予測されています。また、国連の推計によれば、インドは23年初頭に14億2200万人に達し、中国を超えて人口世界一の国となりました。50年には16億人を超えると言われています。中国は22年の14億2500万人から減少することが報じられましたが、それでも50年の時点で13億１２００万人の見込みです。

中国やインドをはじめとする新興国は、日本とは反対に生産年齢人口が増えていきます。総人口や働く人も増えていくことを考えると、投資の対象としては日本にばかり肩入れすることなく、フラットかつ冷静に見ていくことが肝心だと思います。

２０２２年11月、世界人口が80億人を超えましたが、50年に97億人に達し、55年には１００億人を突破、86年に１０４億人でピークを迎えるという予測です。そうなると、やはり全世界が安定的に伸びそうですし、長期的に見れば米国も依然トップランナーの座は譲らないものと考えられるので、トータルで考えて投資の未来は当面明るいと言っていいのではないでしょうか。

つみたて投資は経済の動きとどう絡むのか

２０２２年末くらいから、物価が上がってきています。そのあたりは肌感覚でわかりますが、ニュースを見ていても「？」が多いような気がします。世界はまだインフレが続くとか、１ドル１５０円まで下がった円が上昇傾向にあるとか、ゼロ金利のはずだった日本でも長期プライムレートが上がったとか、日銀が過去最大の国債を買ったとかいうことはどうして起こるのかなど、なかなか一筋縄では説明がつきません。

こうした経済の動きと新しいＮＩＳＡとはどういうふうに絡み、つみたて投資をしていくに当たっては、特に何に注目しておけばいいでしょうか。例えば、全世界株式型インデックスファンドの対象国割合だけを見ると、日本の動きよりも圧倒的に海外、特に米国企業の動きが絡んでくるようにも思えます。

ひとまず、トップランナーである米国経済を見ておくのがいいでしょう。ＦＲＢのパウエル議長は、米国の金融政策を決めるＦＯＭＣの会議の場で「２０２３年は低成長だがマイナス成長ではない」と発言したり、インフレ圧力による物価目標引き上げの可能性については、「長期的な検討課題ながら、現時点では2パーセント目標の達成に注力すべき」と回答したりしています。しかし、これではよくわかりません。

ＦＲＢは、物価を見るＣＰＩ（消費者物価指数）と雇用統計の二つの指数をもとに、金利を上げたり下げたりして調整します。それが変わることによって、当然他国との動きで為替も変わりますし、為替が変わったら円相場が動き、金利も動いて、株価が下がってというふうに、非常に複合的な動きが生まれます。

ＣＰＩが2パーセント以下であれば、経済は安定成長しているとされますが、2パーセントを超える上昇になると、景気の過熱による企業業績の悪化や個人消費の落ち込みにつながり、株式市場にマイナスの影響を及ぼすと考えられます。なお、ＣＰＩは実際の景気よりも数カ月から半年ほど遅れた遅行指数なので、将来の景気予想には使えません。

このように経済を見ながらつみたて投資をやるというのは理想かもしれませんが、それによって何がどう関係するのかまで考えると、かなり難しいことになりそうです。次のステップとして、より本格的に投資をやっていこうという人にとっては、経済のいわゆるマクロな部分を見ながらやってみると、確かに面白いだろうと思います。

自分が投資に向いているのかどうか

投資を行う際に「リスク許容度」というものが大きく関わってくることは、第２章で述べた通りです。この10年で日本人の投資割合が上がってきたとはいえ、まだ欧米の投資割合には追いつけないようで、これは日本人の「リスク許容度」が依然高くはなっていないことを意味しています。私のお客様向けに、リスク許容度を自分で測ってもらうために作ったチャートが［図表-34］です。

証券会社でも、ロボアドバイザーで投資を初めてする人たちに向けて、リスク許容度を測定するテストのようなものがあります。いくつかの質問に答えていくと、投資に対する自分の許容度を割り出してくれるというものです。

それらの項目をもとに、私たちが家計で見ている観点を加え、足し引きして独自のものを作ってみました。私のところでも、投資をやった方がいいと思う人には実際にこれを試してもらっています。

まずは、20年以上投資できるかどうかを聞きました。家計は黒字かどうかを知るために、手取り収入から毎月6分の1（16・7パーセント）の貯金ができているかどうかという点と、これを貯金に回せている人だったら、あとは生活防衛資金として生活費の1年分ほどの貯金があるかというところを聞いています。

最後に、気持ちの上で一時的な元本割れは気にならないかどうかを聞いて、リスク許容度の大・中・小と分類しています。リスク許容度とは、何が起こるかわからない不確実性をどの程度受け入れる余地があるかということです。

投資期間を長く取ることができて、毎月の貯金や生活防衛資金もあり、一時的な元本割れを気にしない人はリスク許容度「大」。毎月の貯金はできていても1年分の貯金はまだという人や、元本の減りが気になる人は、投資をしたいとしてもリスク許容度は「中」。

[図表-34]投資リスクの許容度

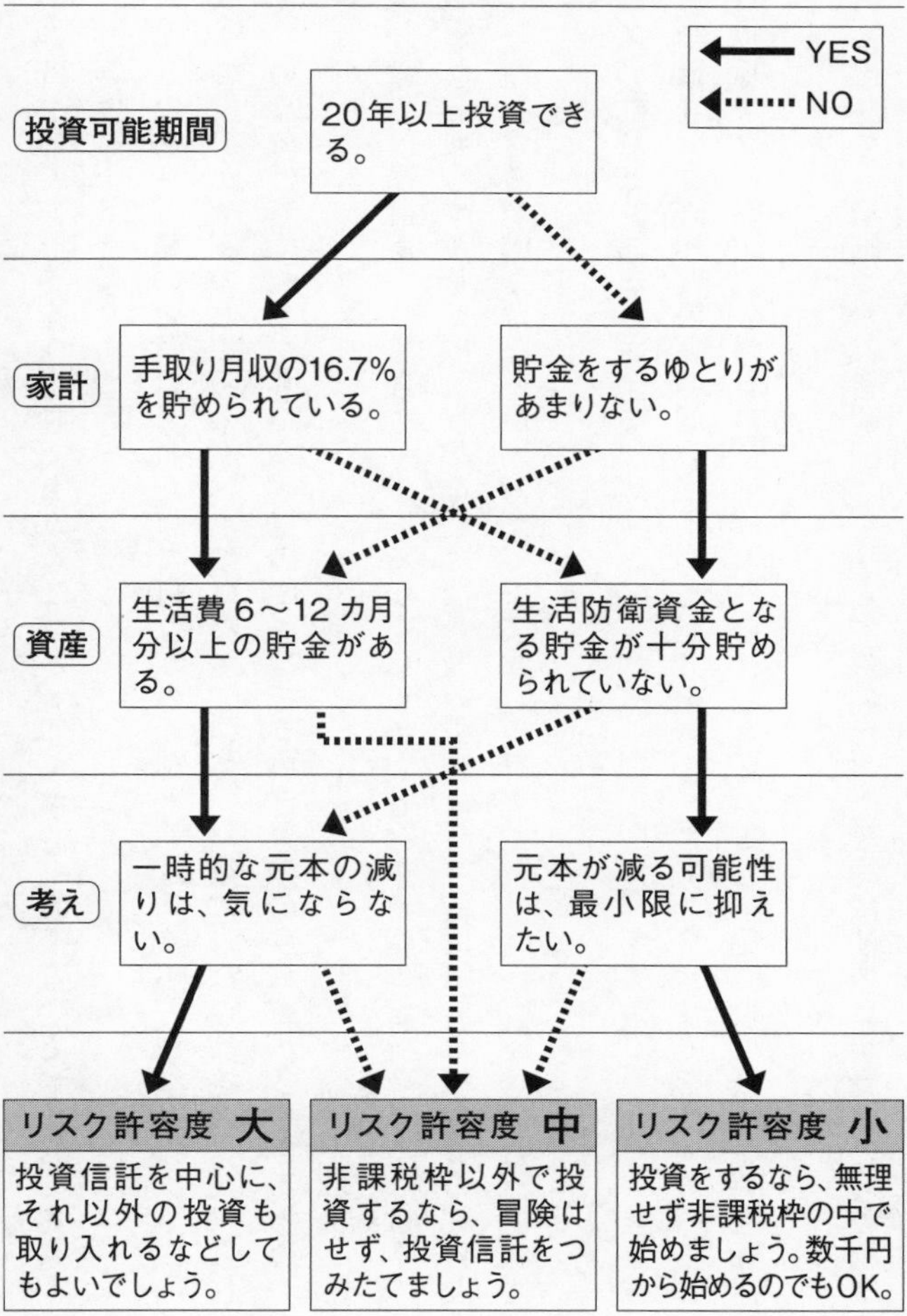

投資期間が短く、貯金をするゆとりがなくて、元本も減らしたくないという人の場合、リスク許容度「小」となります。

しかしながら、私の真意はこれだけではなかなか伝わらないかもしれません。

多くの投資が結局のところ金額ベースになっていて、一気に入れられる人、入れられない人という分け方になりがちです。世の中にはそういう分類のされ方が多すぎると思っています。

実際には、家計がどう管理されているかをはじめ、貯金や資産の状況、あるいは本人の価値観などももっと考えに入れなくてはならないでしょう。特に家計こそがこの許容度を大きく左右する要因ではないかと考えています。

リスク許容度から配分を考える

以前はリスク許容度の高い低いによって配分を考え、ポートフォリオを作っていました。実際、リスクの幅が大きいものを受け入れられる人もいるし、受け入れられない人もいるからです。

投資信託で「米国」や「新興国」を購入するのは、一般的にリスクが高いと言われます。

リスクを取れるのであれば、「米国」や「新興国」をしっかり買いましょうということも言えるのですが、そもそもどの国のリスクが高くてどこが低いかということは、どうすればわかるものなのでしょうか。

昔は、外国株を減らして国内株が多く入っている商品の方が、リスクが減って安定型だという考え方がありました。しかし、これはおかしいと思います。「国内」は安定していて安心だという話はどこから来たのでしょうか。逆に「国内」は不確実性が高く、リスクも大きいと思います。

リスクを減らすという方向に走ると、債券を入れていくようなイメージになってしまいますが、それも違うように思います。また、リスクが怖いと言いながらずっと1本しか買わないのも、どこか違うのではという感覚があります。

リスクが高いから投資はしないということではなく、金額のボリュームを小さくすれば問題は少なくなるようにも思います。よく「1千万円と1万円の違い」のようなことが言われます。例えば、ビットコインには暴落のリスクもあってどうなるのかわからないので、1千万円分持つのは確かに怖いことですが、1万円だったらあまり気にならない、とも言えるわけで、金額の調節をすることによって意識が変わっていくのかもしれません。

リスク許容度が低い人は、配分をどうするということよりも、まずは少額から始めてみるのが妥当だと思います。あとは投資先を分散させ、段階的に上がっていくことによって、初めて自分の許容度がわかっていくと言えると思うのです。

最近のトレンドは、投資先の配分が偏りすぎている傾向にあります。これもリスクが高いと言えます。リターンがそこそこあるという理由から、分散を考えない人が増えていますが、これは、リスクが高いとか許容度がどうかということではなくて、そもそも投資の本質的なところを捉《とら》えられていないのではないでしょうか。

特に「米国」ばかりに偏りすぎている気がしますが、「米国」が10~20年先も今と同じように順調に伸びていくかといったら、また違う可能性もあり得ます。

米国一国だけとはいえ、これには約4千銘柄入っているので、すでに分散投資がなされていると言えます。しかし、結局のところ投資先がその1点だけということになれば、それはやはり本当の分散投資ではないというように解釈しています。

では、「米国」以外でどこがいいのかとなると、シンプルに言えば「全世界」となります。米国が多く入っていることに変わりはありませんが、日本も含めた「先進国」や「新興国」などの世界株式がワンパッケージで入っているタイプです。

基本的には「全世界」を軸にしつつ、分散させる形がいいと私は思っています。「全世界」の方が「米国」よりも幅が広くてリスクは少ない。その代わり、「米国」ほどのリターンが出ないと思っておく必要があります。「米国」の方が当然ながらリスクが高く、高いからこそリターンが出る可能性も高いと言えます。ただ、大きく落ちる可能性があるのが「米国」で、「全世界」はまずそこまではいかないだろうと考えられます。

貯蓄があればリスク許容度は高くなるか

リスク許容度というのは、そもそも投資に対する信頼度の問題です。

リスク許容度が低い人というのは、おそらく投資先に行き着く前にお金が減っていく恐怖感が先に立ってしまうのでしょう。いくら千円、2千円の話だといっても、入れたお金が大きく減るような動きが怖いのだと思うのです。やはり、最初から分散がかかっている全世界型のような商品を多めにするしかありません。

「全世界」に半分くらい入れた残りの配分として、リスクが怖いということから「米国」を少なくするのはいいのですが、その代わりに、投資先としてあまり評価の高くない他の国々が多く入ってしまうことが考えられます。その場合は「先進国」という選択肢があり、

「新興国」や「国内」は少なくするということになります。やはりリスクとリターンが高いものを抑える感覚はあった方がいい気がします。

なお、金額については月単位で見ない方がいいでしょう。月に5万円、10万円というとかなり少ない金額のように勘違いしてしまうこともあり得るので、年間60万円、年間120万円のように、年単位で見るのがいいと思います。10パーセント落ちると、マイナス6万円、マイナス12万円だとシンプルに実感できると思います。

これは支出もそうですが、つみたての場合でも結果的にこれくらいになるといった感覚が持てると、リスク許容度が測れるようにも思います。

なぜ株は伸びるのかを正しく理解していれば、下がる理由もわかってきます。下がるのが怖い、怖くないは個人差が出るものですが、そもそも理解が薄ければリスクの許容度が上がることはありません。基本的には誰もが減らしたくないわけです。しかしその思いが強すぎると、経験から学んで理解することも難しくなってしまいます。

極端な話、「米国」だけという選択もできないわけではありません。米国を推す理念があるなら米国だけ持つのも一つかもしれないし、金額が数千円などとさほど大きくなければ、米国だけに投資するのもいいと思います。

しかし、少し金額が大きくなってくると、どこか1本だけというのは避けたいところです。「米国」だけでなく、イギリス、フランス、ドイツなどの「先進国」も含めた商品を加えるとか、中国などの「新興国」も少し入れ、ある程度は分散をかけておくことが基本となります。

リスクを取ってリターンを狙いたい人は、「米国」や「新興国」を多くしていくことになるでしょう。無難にしたければ、「米国」を少し抑えて「先進国」。さらに無難なところでリスクを抑えるのであれば、「全世界」をまんべんなくということになります。

リスク許容度は、未経験のままではなかなか判断がつかないとも思います。やってみてわかることの方が多いので、やりながら覚えていくことが大事です。理解することによってリスクの許容度は徐々に変わっていくものです。

では、貯蓄があるから安心でリスク許容度が高くなるかというと、それは私たちがそのように想像しているだけであって、おそらく投資をする本人の心理としては違うのだと思います。分散することが前提となりますが、投資の習熟度合いによって、自分の好みでどこかの国に偏りを持たせることはあってもいいと思います。

投資を長く続けていくために

第4章の結論としては、「全世界」の配分を30パーセントとしましたが、全世界を50パーセント、その他を50パーセントとしてアレンジをしてもいいと思います。

とはいえ、自分のリスクが高いのか、低いのかはなかなかわからないかもしれません。また、自分で配分を調整できるほどの知識は、そう簡単には身につかないと思います。

しかし、少しでも長く投資を続けるのであれば、世界の経済の動きを勉強しておくのもいいでしょう。海外の国のことを知るのもいいですが、その国の企業の動きにも着目するといいと思います。

日本のGDPは世界第3位ですが、国力で言えばこれからどんどん落ちていくと予想されています。しかし、本当は国のパワーというところだけではなくて、その国の中の企業の成長性を国ごとに分けているにすぎず、優秀な企業の結集としての国や地域が伸びているというだけの話なのです。米国が伸びていくといっても、グーグル、アップル、メタ（フェイスブック）などのいくつかの企業が増えているだけなのです。優秀な企業がどれだけ活力を持って活動しているかを見ておくのがいいでしょう。

企業レベルの話となると、一般的にはなかなか知らされていないことが多いとは思いますが、企業が成長することによって国が伸びていくことは間違いありません。半年から1年くらいの時間をかけて追っていると、伸びる、伸びないの差が見えてくるものです。ただし、この半年や1年の動きが将来を決定するものではないことに注意しておきましょう。

ロシアがウクライナと戦争をしているから、もうだめだと言う人もいます。確かにこの2～3年は影響が小さくありません。しかし、そう高くないうちに買っておくことで、いずれ上がる可能性もあるわけです。そう考えると、目の前で起きていることの短期的な見通しだけをもとに、将来もすべてだめだというふうに捉えるのはおかしなことだと思うのです。

投資は短期で一喜一憂せず、長いスパンで見ることが大事です。変えすぎてしまうと、結局のところ本当の成果はどうだったのかわからなくなってしまうからです。

日本に投資すべきかという問題

日本という国を投資の対象に引き戻すためには何ができるかを考えようとすると、この国を根本的にどうするのかという話に行き着いてしまいます。まずは従業員の給料が上がらない問題です。給料が上がっていかないとなると、根本から苦しいわけです。上げられない理由の一つに、企業が内部留保をしっかりと持っておこうという思いもあるのでしょう。しかし、そもそも余裕がないので、給料が上げられないという状況なのだと思います。

日本は終身雇用や年功序列がある特殊な国です。終身雇用は、定年まで同じ企業で安定して働き続けられる仕組みではありますが、反対に個人の成果がなかなか給料に反映されにくい面があります。政治の面から見ても、「本当に資本主義国なの？」と思うくらい、[図表‐35]は主要国の平均賃金推移です。

分配に力を入れています。

米国は完全な資本主義と言っていいと思いますが、従業員のクビをばっさり切ってしまいます。イーロン・マスクがツイッターを買収して、全社従業員7500人の8割以上を辞めさせたりもしました。人を変えることがいい循環となり、どんどん業績を伸ばしていこうとする。そういう考え方の体質は日本とはまったく違っています。

日本で「明日から来なくていい」などとやったら間違いなく問題視されます。それはそれで日本のよさなのかもしれませんが、経済発展を考えるとプラスにはならないでしょう。日米では経済政策もまったく違います。米国はインフレが続く限り金融引き締めをやめな

[図表-35]主要国の平均賃金推移

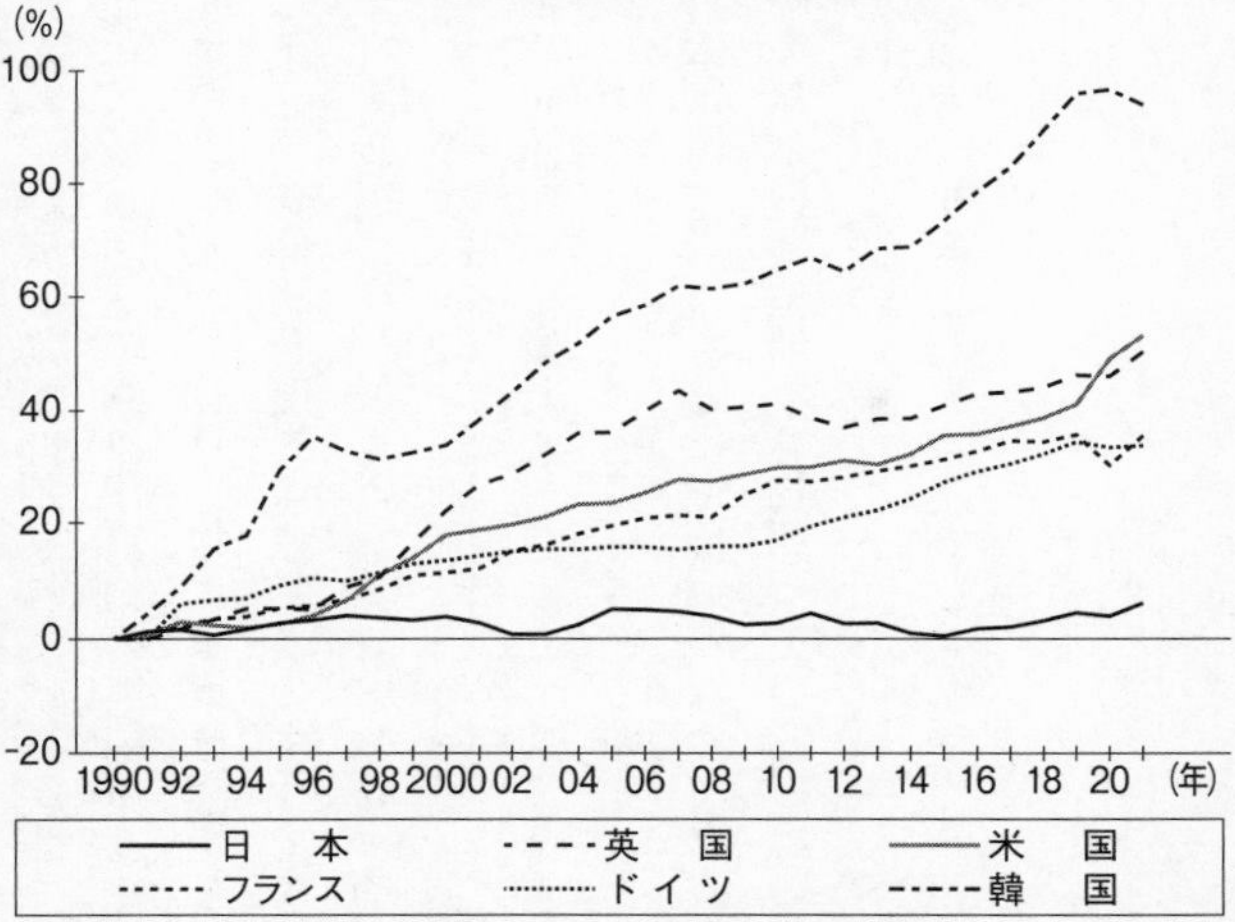

※単位は米ドル(2016年を基準年とする)。数値は1990年を基準とした増減率。
出典:経済協力開発機構「平均賃金」より作成

いでしょうが、日本は基本的に金融緩和路線のままです。もし、他の国と同じように引き締めをやるとしたら、金利が上昇して借り入れができなくなり、日本企業は大量倒産騒ぎになってしまう怖れがあります。

金融引き締めをしないと、この先もずっと円安が続くことになるでしょう。しかし、円安だから、持っているドルを売って円を買うといった一時的なことではなくて、根本的な金融政策を打っていく必要があります。

今の日本は物価高だけで大変なのに、金融引き締めで貸し出し金利が上げられ、経済活動が抑制されて景気が悪くなったりしたら、それこそ大変です。

なお、2022年9月、日銀の黒田東彦《くろだはるひこ》総裁（当時）は大規模な金融緩和の維持を打ち出していましたが、12月下旬に政策を修正し、長期金利上限を0・5パーセントとしました。インフレ抑制を優先する動きのようです。

ウォール街には、モルガン・スタンレーやゴールドマン・サックスという投資銀行があります。昔は日本に対して投資したいという需要があったので、当然のように日本株専任の担当を置いていました。しかし、ここ2〜3年は「日本株を買うやつなんていない」らしく、すでに日本株担当者を置いていないという話を聞きました。

日本は捨てられたとまではいかなくても、すでに眼中にないということで、世界経済の中での日本の地位低下を物語っていると思います。

やはり、投資の対象はまず「全世界」。そして「米国」や「先進国」にも目を向けていく意識で取り組むのがいいでしょう。

おわりに

私は20年以上、家計再生コンサルタントとしての仕事を続けてきています。しかし、20代の頃は、いつもお金に余裕がないばかりか、お金が入ればすぐに浪費してしまうような有様でした。

司法書士事務所にいる頃、自己破産した方を担当したことがきっかけで、個人のお客様に対する家計アドバイスを始めることになりました。そして、相談者の方と接しているうちに、これは他人事《ひとごと》ではないと気づかされたのです。

その頃の私は当然のように貯金ゼロでしたから、お金に対する計画性もまったくありません。〝お金の問題児〟は誰でもない、まさに自分自身のことでした。私はこれまでの自分を大いに反省し、問題児から脱却するためにお金の貯め方や増やし方を学び、投資を始めました。途中でいろいろな失敗を重ねながらも徐々に資産は増えていき、将来に向けたライフプランにおいて、いつの間にかお金の不安は消えていたのです。

私がかつて経験したようなお金に対するストレスを、皆さんに味わってほしくはありません。本書では、新しいＮＩＳＡの「つみたて投資」を中心に取り上げてきましたが、これは、少額であってもコツコツと長期間分散してつみたてるという資産形成の王道そのものです。

これまでつみたてＮＩＳＡを続けてきた方はもちろん、投資のことをほとんど意識せずにきてしまった方、やはり投資を始めた方がいいかなと迷っている方、またこれまで投資は怖いと避けてきた方々にも安心して取り組んでいただけるように、図表も使いながらできるだけわかりやすく説明してまいりました。

本書が、投資生活の第一歩を踏み出そうとする皆さんの一助となれば幸いです。

最後までお読みいただき、ありがとうございました。

２０２３年６月

横山光昭

本文図版　本島一宏

本書は書き下ろしです。

本書は２０２３年6月までの情報を元に作成しています。本書刊行後に金融に関連する法律・制度の改正、または各社のサービス内容が変更される可能性がありますのであらかじめご了承ください。

本書は投資関連の情報を記載していますが、特定の銘柄の購入を推奨するもの、またその有用性を保証するものではありません。個々の金融サービスや金融商品の詳細については、各金融機関にお問い合わせください。

投資には一定のリスクが伴います。売買によって生まれた利益・損失について、著者および出版社は一切責任を負いかねます。投資はご自身の責任と判断のもとで行っていただきますようお願いいたします。

横山光昭（よこやま・みつあき）
株式会社マイエフピー代表。お金の使い方そのものを改善する独自の家計再生プログラムで、家計の確実な再生を目指し、個別の相談・指導に高い評価を得ている。これまでの家計再生件数は21,000件を突破。書籍・雑誌など各種メディアへの執筆・講演も多数。著書は、シリーズ累計90万部超の最新作『はじめての人のための3000円投資生活 新NISA対応版』や『年収200万円からの貯金生活宣言』を代表作とし、計171冊、累計380万部となる。

定年後《ていねんご》でも間《ま》に合《あ》うつみたて投資《とうし》

横山光昭《よこやまみつあき》

2023年 7月 10日　初版発行

発行者　山下直久
発　行　株式会社KADOKAWA
〒102-8177　東京都千代田区富士見 2-13-3
電話　0570-002-301（ナビダイヤル）
編集協力　柴山幸夫（有限会社デクスト）
装 丁 者　緒方修一（ラーフイン・ワークショップ）
ロゴデザイン　good design company
オビデザイン　Zapp!　白金正之
印 刷 所　株式会社暁印刷
製 本 所　本間製本株式会社

角川新書

ISBN978-4-04-082465-9 C0233

KADOKAWAの新書 好評既刊

精神医療の現実
岩波　明

トラウマ、PTSD、発達障害、フロイトの呪縛――医学や治療の現場では、いま何が起こっているのか。多くの事例や歴史背景を交えつつ、現役精神科医がその誤解と偏見、理想と現実、医師と患者をめぐる内外の諸問題を直言する。

増税地獄
増負担時代を生き抜く経済学

森永卓郎

さらなる増税地獄がやってくる――。いまの政府が目指しているのは、国民全員が死ぬまで働き続けて、税金と社会保険料を支払い続ける納税マシンになる社会だ。我々は、暮らしの発想の転換を急がなくてはならない！

決定版「任せ方」の教科書
部下を持ったら必ず読む「究極のリーダー論」

出口治明

リーダーに必須の「任せ方」、そして「権限の感覚」とは。人間の能力の限界、歴史・古典の叡智、グローバル基準を出発点に、マネジメントの原理原則を解説。60歳で起業、70歳で大学学長に就いた著者が、多様な人材を率いる要諦を示す。

ヴィーガン探訪
肉も魚もハチミツも食べない生き方

森　映子

肉や魚、卵やハチミツまで、動物性食品を食べない人々「ヴィーガン」。一見、極端な行動の背景とは？　実験動物や畜産動物の問題を追い続けてきた非ヴィーガンの著者が、多くの当事者や企業、研究者に直接取材。知られざる生き方を明らかにする。

テキヤの掟
祭りを担った文化、組織、慣習

廣末　登

商売の原初の形態といえるテキヤの露店は、消滅の危機にある。縁日を支える人たちはどのように商売をし、どう生活しているのか？　テキヤ経験を有す研究者が、縁日の裏面史を浮き彫りにする！　貴重なテキヤ社会と裏社会の隠語集も掲載。